Comunidad y misión desde la periferia

Ensayos en celebración de la vida y ministerio de Juan Driver

Milka Rindzinski
Juan Francisco Martínez

Editores

Buenos Aires - Año 2006

Comunidad y misión desde la periferia : ensayos en celebración de la vida y ministerio de Juan Driver / edición literaria a cargo de : Juan Francisco Martínez y Milka Rindzinski - 1ª ed. - Florida : Kairós ; Guatemala : Semilla, 2006.

168 p. ; 20x14 cm.

ISBN 987-1355-00-9

1. Teología Social.   I. Martínez, Juan Francisco, ed. lit. II. Rindzinski, Milka, ed. lit.
CDD 261

CONTENIDO

CONTRIBUYENTES

Dionisio Byler es profesor de Biblia y griego en el Seminario Evangélico Unido de Teología en El Escorial, España y secretario de la Asociación de Menonitas y Hermanos en Cristo en España. Oriundo de Argentina, ha escrito ocho libros y cientos de artículos. Está casado con Connie Bentson, con quien tiene cuatro hijos y dos nietos.

Samuel Escobar, peruano, bautista, es profesor del Seminario Teológico de la Unión Evangélica Bautista de España.

José Gallardo es pastor de la Iglesia Piedras Vivas de Quintana dueñas, Burgos, España y director de ACCOREMA (Asociación Cristiana de Comunidades para la Rehabilitación de Marginados). Está casado con Carmen, con quien tiene tres hijos: Sonia, Melisa y Rubén.

Mario Fernando Higueros Fuentes es consultor de relaciones humanas, paz y justicia y profesor de teología. Es profesor de SEMILLA y fue su decano por más de quince años. Fue parte del diálogo internacional católico-menonita.

Rafael Mansilla, indígena toba de Colonia San Carlos, Subteniente Perín, Formosa, es pastor, administrador de su comunidad, y forma parte del equipo de tres revisores del Nuevo Testamento toba.

Juan Francisco Martínez es el decano asistente para el Centro Hispano del Seminario Teológico Fuller y rector superior de SEMILLA. Está casado con Olga, con quien tiene dos hijos: Xaris y Josué.

César Moya es pastor y teólogo menonita colombiano. Está casado con Patricia Urueña, con quien tiene tres hijos: Daniel, Juan y Andrea. Actualmente reside en Ecuador y sirve a través de la Red Menonita de Misión en capacitación bíblica y teológica, educación para la paz y resolución de conflictos.

Alfred Neufeld es decano de la Facultad de Teología de la Universidad Evangélica del Paraguay, y profesor de teología histórica, sistemática y contextual.

Víctor Pedroza Cruz es pastor de la Iglesia Anabautista Menonita Unida de la Ciudad de México.

Fernando Pérez Ventura es pastor de la congregación menonita Iglesia Seguidores de Cristo, Naucalpan, México.

Milka Rindzinski, de Uruguay, es coordinadora del Centro de Estudios de las Iglesias Menonitas del Uruguay, bibliotecaria y traductora.

Daniel Schipani es profesor de cuidado y consejería pastoral en el Seminario Bíblico Menonita Asociado, en Estados Unidos. Oriundo de Argentina, es autor y editor de más de veinte libros en las áreas de educación, cuidado y consejería pastoral, y teología práctica.

Pedro Stucky, teólogo e historiador, es presidente de la Iglesia Cristiana Menonita de Colombia y pastor de la Iglesia Menonita de Teusaquillo, Bogotá. Nacido en Medellín, Colombia. Estudió en Cachipay, Indiana (EE.UU.), Escocia y Jerusalén. Está casado con Leticia Rodríguez, con quien tiene tres hijos: Andrés, Jonathan y Santiago.

Rebecca Yoder-Neufeld, de Estados Unidos y Francia, es la promotora de la misión integral de la Iglesia Menonita de Canadá.

PREFACIO

Pagad a todos lo que debéis... al que honra, honra.

Pablo

Dios le dio al mundo de habla hispana un gran regalo en la persona de Juan Driver. Sus publicaciones, ponencias, clases y conferencias han retado a toda una generación de personas que buscan ser fieles a la radicalidad del evangelio. Sus libros, escritos mayormente en español, han sido reescritos o traducidos al inglés y al portugués. Su ministerio ha estimulado el desarrollo de comunidades que viven a contracorriente a través de América Latina y partes de Europa.

Todos los que participamos en este proyecto lo hacemos porque Juan ha tenido influencia en nuestras vidas directamente. Nos ha retado a reflexionar sobre lo que significa ser anabautista y sobre la importancia de esta forma de entender la fe en el mundo en que vivimos. Juan nos ha impulsado a vivir como seguidores de Cristo Jesús, regresando a las raíces de nuestra fe. Es por eso que homenajeamos a Juan por medio de escritos que describen las maneras en que ha impactado nuestra vida, nuestros ministerios y nuestra reflexión teológica.

Comenzamos a soñar con este libro varios años atrás. Algunos entregaron sus escritos hace cinco años. Sin embargo, hubo un momento en que parecía que el proyecto se iba a quedar en buenas intenciones. Pero hace poco más de un año surgió un interés nuevo en celebrar la vida de Juan de esta manera. El interés siguió creciendo desde entonces, hasta el punto que tuvimos que rechazar los ensayos de algunas personas, por falta de tiempo y de espacio.

Casi todos los aportes están organizados alrededor de los grandes temas que ha tratado Juan Driver en sus escritos y enseñanza. Comenzamos con dos aportes personales: las reflexiones de Rebecca-Yoder Neufeld y Rafael Mansilla, que presentan imágenes de la iglesia y su impacto. La siguiente sección está organizada alrededor del tema de la iglesia. José Gallardo, Víctor Pedroza Cruz, Pedro Stucky y Fernando Pérez Ventura presentan diferentes cuadros de comunidades de fe que están poniendo en práctica la visión de la *contracorriente*. Alfred Neufeld y un servidor seguimos con reflexiones sobre las implicaciones de la historiografía radical presentada en *La fe en la periferia de la historia*. En la sección sobre la Biblia en el pensamiento de Juan Driver, Dionisio Byler nos resume el método «driveriano» de relectura bíblica y Mario Higueros comienza una relectura de toda la Biblia utilizando los principios «driverianos». Se puso la sección sobre misión en último término porque, al fin y al cabo, la misión de la iglesia siempre ha estado en el corazón del pensamiento de Juan. Él siempre ha abogado por una comprensión amplia de lo que es la misión de la iglesia (*Imágenes de una iglesia en misión*) y los artículos de esta sección reflejan ese compromiso. Daniel Schipani lleva este concepto de misión a la teología práctica y César Moya, al campo tan necesario de la reconciliación en medio de la violencia. Finalizamos esta sección con el aporte de Samuel Escobar, quien nos recuerda que Juan Driver ha tenido una influencia más allá de los anabautistas y que su pensamiento tiene mucho que aportar a la misionología de principios del siglo 21. Milka Rindzinski termina el volumen invitando a una nueva generación a seguir la tarea que tan fielmente ha llevado adelante Juan Driver.

Celebramos la obra de Juan Driver en castellano porque la mayoría de sus escritos ha sido publicada en este idioma y ha sido ese el idioma en que él ha enseñado y ministrado la mayor parte de su vida. Sin embargo, reconocemos que su influencia ha ido mucho más allá. Fácilmente podríamos haber incluido aportes en portugués, inglés y aun otros idiomas. Pero de joven llegó a Puerto Rico y de allí a muchos otros puntos del mundo de habla hispana. Por eso lo reconocemos en éste su idioma adoptivo.

Si hay alguna tristeza de parte de Milka Rindzinski y un servidor es por la falta de voces femeninas en este volumen.

Buscamos la participación de algunas mujeres, pero sólo Rebecca Yoder-Neufeld respondió a nuestra invitación. Queda pendiente un volumen editado y escrito por mujeres que refleje las maneras en que Juan Driver abrió espacios a las mujeres en el ministerio y la reflexión teológica anabautista.

Estos aportes no sólo celebran lo que ha sido, sino que también nos retan a pensar en las implicaciones del pensamiento de Juan Driver para el ministerio y para la reflexión anabautista en el nuevo siglo. Estamos en medio de una serie de cambios de fondo. Es en esta situación donde el llamado de Dios a través de Juan Driver se hace más candente. Esperamos que la lectura de estos artículos nos desafíe a pensar en nuevas formas.

Juan Francisco Martínez

ITINERARIO EN MISIÓN
Descubrir y compartir un evangelio de paz

Juan Driver

Enfocándolo retrospectivamente, mi itinerario en el mundo hispano durante los últimos 55 años ha resultado sumamente influyente para mi vida. Ha sido determinante en mi visión del mundo, en mi ideología, y muy especialmente, en mi comprensión del evangelio. De modo que probablemente debo tanto —si no más— a mis hermanos y hermanas hispanos —especialmente de Puerto Rico, Uruguay, Argentina, y España, pero también esparcidos por toda América Latina, desde Méjico, en el norte, hasta Argentina y Chile, en el sur— como a mis antepasados espirituales y biológicos suizo-alemanes.

Puerto Rico (1945-1966)

Durante la Segunda Guerra Mundial fui objetor de conciencia. Se me asignaron trabajos en la construcción de una represa en un lugar remoto de Estados Unidos y en dos hospitales psiquiátricos estatales en Rhode Island y Nueva York. Luego, a fines de 1945, fui traslado a Puerto Rico para trabajar en un proyecto de desarrollo comunitario rural ubicado en el centro de la isla. Llegué a Puerto Rico a los veintiún años de edad y, como novato completo que era, fui introducido al mundo hispano.

Había sido criado en condiciones muy modestas durante la depresión económica de los años 1929-1934. Pero no estaba preparado para la pobreza que iba a observar y palpar entre los campesinos y agregados en las zonas montañosas de Puerto Rico. En mis trabajos como asistente social, relacionado con el Hospital Menonita, y luego sirviendo como misionero y pastor de iglesias y en la enseñanza y la formación bíblica y teológica, pude sentir muy de cerca, y en carne propia, el sufrimiento de la gente campesina.

Como asistente social trabajé especialmente con tuberculosos, luchando por conseguir los medicamentos costosos y otros tratamientos que podían ofrecerles una nueva posibilidad de vida. También vi que algunas familias necesitadas sentían la necesidad de enviar a sus hijos al ejército norteamericano, en lo que muchas veces parecía ser la única salida de su miseria extrema. Así que estos jóvenes fueron a pelear en guerras que no eran suyas. Vi cómo luego volvieron transformados, a veces en alcohólicos y otras veces fueron traídos de regreso en sus ataúdes. Observé que la familia de uno de estos amigos finalmente pudo construir una vivienda más o menos decente, literalmente a costa de la sangre de su hijo, pagándola con la indemnización que recibieron del gobierno.

Estas experiencias me permitieron ver al mundo desde abajo por vez primera y apreciar la realidad desde la perspectiva de aquellos que por carecer de poder y posibilidades para mejorar su situación se convierten en víctimas de las injusticias de la época. Esta nueva visión de la realidad me sirvió de invitación a solidarizarme con los «sin poder» de nuestro mundo, y se la debo a los campesinos de Borinquen.

Uruguay (1967-1974, 1985-1989)

Fui invitado a servir, a partir de 1967, como director de estudios y profesor de historia de la Iglesia y del Nuevo Testamento en el Seminario Evangélico Menonita de Teología en Montevideo, Uruguay. Llegamos al Uruguay con nuestra familia en una época cuando ya empezaban a soplar desde el sur, desde Uruguay y Argentina y Chile, vientos de revolución, que luego abarcarían a una buena parte de América del Sur y América Central. A la luz de la desigual distribución de los bienes y de los recursos naturales en estas tierras, y el sufrimiento producido por estas injusticias socioeconómicas, el descontento general fue comprensible.

A esta altura, ISAL (Iglesia y Sociedad en América Latina) ya se había organizado dentro de la tradición conciliar protestante e intentaba aplicar los principios del evangelio a la situación social predominante. Fue Miguel Brun, uno de los participantes de este movimiento, quien empezó a hablar de una «teología de liberación» posiblemente antes de que el peruano Gustavo Gutiérrez escribiera su libro con ese título. Algunos teólogos, tanto católicos como protestantes, empezaban a aplicar los criterios tradicionales de la guerra justa a situaciones revolucionarias como la que se vivía en el momento en el Cono Sur, apelando a los escritos de Tomás de Aquino, entre otros.

Cristianos de esta corriente y otros con una conciencia social sensible nos invitaban a unirnos a este movimiento profético de testimonio y acción en pro de cambios sociales más o menos radicales. Mientras tanto, otros hermanos y hermanas evangélicos y más tradicionales nos invitaban a solidarizarnos con ellos.

En esos días, para nosotros, los del Seminario, ni unirnos a los revolucionarios (en la forma en que estaba orientada la cuestión), ni identificarnos con los reaccionarios (con la conservación de estructuras socioeconómicas claramente injustas) nos parecía oportuno. De modo que bajo estas presiones algunos nos pusimos a releer los textos bíblicos con nuevas perspectivas y a releer nuestra propia historia con raíces en los movimientos de reforma radical del siglo 16. Esto nos llevó a reflexionar acerca de una «tercera alternativa», una postura radical, más afín con las comunidades neotestamentarias y más semejante a la tomada por anabautistas de aquel siglo y por muchos otros movimientos radicales a lo largo de la historia de la iglesia cristiana.

La invitación en esos años a participar de un retiro de jóvenes durante una visita a Colombia proveyó la oportunidad de preparar algunos estudios bíblicos basados en el Sermón del Monte. Inspirados originalmente por esta búsqueda de una visión y una vivencia de comunidad misional alternativa, esos estudios (que luego se compartirían también en un retiro de jóvenes en Argentina y con estudiantes en el Seminario Menonita en Montevideo) llegarían a publicarse finalmente en España con el título *Militantes para un mundo nuevo*.

Una de las conclusiones a las que fuimos llevados fue la de tomar en serio la visión bíblica de la justicia y la paz como elementos integrales del evangelio. El Nuevo Testamento no nos permitía enfocar la paz como un elemento ético más a ser considerado por la iglesia, ni como un simple aspecto del patrimonio tradicional anabautista-menonita a aporta a la iglesia más amplia. Y en nuestra búsqueda también comenzamos a ver y a subrayar las dimensiones de la iglesia como comunidad en misión. En esos años fui invitado a escribir un ensayo para un libro en honor a J. D. y Minnie Graber, pioneros del movimiento misionero menonita de Estados Unidos. Reflejando nuestro peregrinaje teológico característico de aquellos años, puse como título a mi aporte «Llegando a ser una comunidad misionera», que más tarde también llegaría a ser el título del libro.

Por cierto, nuestra postura no convenció, ni a los liberacionistas ni a los tradicionalistas. Ni siquiera en círculos menonitas uruguayos convenció plenamente. Fui invitado a presentar un estudio sobre la actitud neotestamentaria hacia la violencia en una reunión de la Junta Directiva de la Convención Menonita del Uruguay. Luego de hacer mi presentación, uno de los presentes respondió: «Sí, su presentación ha sido claramente bíblica, pero vivimos una situación diferente ahora, y esos principios ya no nos sirven.» Por otra parte, habría que reconocer que en otro sector de la iglesia tampoco causó mucho entusiasmo, pues prefirió seguir con una visión y práctica más tradicionales.

Sin embargo, al pasar los años, esta visión ha ido ganando aceptación. En círculos que luego serían abarcados por la FTL (Fraternidad Teológica Latinoamericana), personas como René Padilla, Samuel Escobar, el fallecido Orlando Costas, Pedro Savage, y muchos más, esta visión ha encontrado eco. También en círculos menonitas y anabautistas latinoamericanos más amplios, desde el Cono Sur hasta Mesoamérica, ha ido ganando amplia aceptación. En estos círculos, el término «anabautista» significa «radical» en un sentido auténtico.

Las condiciones de injusticia y violencia endémicas, tales como las vividas en América Central y en Colombia, han puesto de relieve la pertinencia actual de esta visión radical, con raíces en el evangelio y en la comunidad neotestamentaria, al igual que dentro de los movimientos reformistas radicales que surgieron a través de la historia de la iglesia.

Otro desafío que confrontaba la iglesia en el Cono Sur en esa época tenía que ver con la pertinencia del movimiento carismático para la vida y misión de la iglesia. Fue en ese contexto que fui invitado a la Argentina a participar en un retiro de jóvenes donde el tema de los estudios bíblicos fue el Sermón del Monte, poniendo bases para una espiritualidad vital y potente que se expresa en el seguimiento de Jesús. Otra invitación llegó de parte de la Iglesia Menonita Argentina para presentar una serie de estudios bíblicos «a la moda anabautista» en la convención nacional que se celebraría en enero de 1974 en Choele Choel. Estos son los estudios que aparecieron en *Comunidad y compromiso*, que luego sería publicado por Certeza a raíz de la recomendación de colegas del Seminario en Montevideo.

España (1975-1984)

Al cerrar el Seminario en Montevideo a fines del año 1974, Bonny y yo fuimos enviados a España con dos tareas: 1) identificar el carácter de nuestro testimonio en España junto con expatriados españoles que volvían a ese país luego de haber llegado a ser parte de la Comunidad Menonita en Bruselas; y 2) enseñar en los círculos evangélicos de España según las oportunidades que se nos presentaran mientras esperáramos la llegada de nuestros hermanos y hermanas de Bélgica.

Mientras tanto, *Comunidad y compromiso* acababa de publicarse en Argentina y empezaron a llegar ejemplares de ese libro a España. Pronto llegaron invitaciones para enseñar en los institutos bíblicos de las iglesias de Madrid y Barcelona y en congregaciones evangélicas esparcidas por toda la península ibérica, y hasta las Canarias. En general, estas iglesias eran congregaciones vigorosas, pues habían salido de la persecución a la que fueron sometidas durante la era franquista, que para esos años estaba llegando a su fin. Sin embargo, tendían a ser congregaciones con una visión un tanto tradicional, con fuerte sentido de identidad denominacional y protestante, con una teología conservadora y un notable énfasis en la importancia de la ortodoxia doctrinal.

Hablar de la justicia social y del evangelio de paz en estos círculos causaba cierto revuelo. Hablar de la iglesia como comunidad alternativa de testimonio y de salvación, sonaba un poco idílico y extraño para aquellos que estaban más acostumbrados a pensar en la salvación en términos netamente individualistas y un tanto espiritualizantes.

Además, hicimos lo que pocos españoles (por no decir ninguno) harían. Nos relacionamos con los objetores de conciencia católicos, apoyándolos en su testimonio y aportando nuestra visión y nuestras experiencias como pacificadores en la sociedad.

En ese tiempo comenzó a surgir un movimiento cristiano y radical de jóvenes al norte de España. Sus raíces fueron varias. Entre ellas estaban: 1) la llegada a Burgos de un grupo de jóvenes de Juventud con una Misión que comenzó a dar testimonio en la plaza pública de la ciudad y a vivir de manera sencilla y abierta entre la juventud burgalesa; 2) las influencias del movimiento carismático de católicos españoles que comenzaba a darse en la zona; 3) las corrientes de renovación entre las juventudes europeas de la época, presentes también en el norte de España; y 4) la presencia y testimonio en Burgos de un pintor pentecostal finlandés, con su alumno pentecostal uruguayo.

Algunos grupos de jóvenes comenzaron a reunirse en círculos de estudio bíblico. Y en esos días llegó a sus manos un ejemplar de *Comunidad y compromiso*, recientemente publicado en Argentina. Una noche llegó un joven de Burgos a nuestra puerta en Madrid preguntándome si estaba dispuesto a ir a compartir un tiempo con ellos en Burgos. Fui a Burgos con él. Y tras un largo fin de semana compartiendo diálogos y presentaciones públicas, comenzó una larga relación con la red de comunidades cristianas radicales que luego se extendería por casi toda la mitad septentrional de España.

Mientras tanto, las iglesias evangélicas tradicionales tendían a mirar este movimiento con sospecha. Cuando recibí la invitación para visitar la comunidad en Burgos pedí su parecer a un anciano de una congregación evangélica. Respondió: «Tal vez podría ir a verles, siempre y cuando no llegue a trascender la noticia de esa visita.» Una hermana, miembro de una de las congregaciones evangélicas de Barcelona, me dijo: «Hermano Driver, usted es una persona seria. No entiendo cómo puede reunirse con esa gente.»

Al reflexionar sobre los comienzos de esta red de comunidades, estoy convencido de que ellas reflejaban mejor las comunidades misionales del Nuevo Testamento que la mayor parte de sus hermanas católicas o evangélicas. Desde sus comienzos mismos, y aunque apenas hubieran reunido las mínimas condiciones comunes para poder definirse como «iglesias» (pues carecían de locales dedicados a reuniones, aún no se habían constituido como congregaciones mediante el bautismo de creyentes y otras «irregularidades» desde la perspectiva común evangélica), comenzaron a orientar su vida en torno a una misión específica a la que ellos entendían que Dios les llamaba.

En Burgos, en medio de condiciones tan precarias que resultaba difícil al observador objetivo distinguir entre los sanadores y los que estaban en proceso de ser restaurados, comenzaron un ministerio de rchabilitación de drogadictos. Poco después comenzaron un ministerio en la cárcel y ofrecieron un lugar desde donde los ex presos pudieran reintegrarse a la sociedad. Y como si todo esto fuera poco, formaron un hospicio donde cuidar a aquellos que padecían del SIDA. En realidad, entendían que esto, de alguna manera, era ser iglesia en un sentido misional.

Otra comunidad de fe surgió en un barrio periférico de Barcelona. En lugar de fijarse en su propia identidad eclesial, ellos se fijaron en los dones con que Dios los había dotado para el ministerio. Con recursos mínimos, la comunidad abrió una residencia para ancianos y se dedicó a cuidar a este sector olvidado de la sociedad urbana española. Proveyeron un ambiente familiar en el cual los ancianos solitarios podían pasar los últimos años de su vida rodeados de hermanos y hermanas que los amaban. En esta comunidad, el culto y el ministerio estaban integrados en una sola realidad de fe, vida y testimonio. Sin fijarse mucho en lo que generalmente se tenía como requisitos formales para ser iglesia, integraron su vida y testimonio en una comunidad misional al servicio del Reinado de Dios.

En Galicia surgió otro grupo con vocación para ser una comunidad en la que culto y trabajo quedaban integrados. Organizaron una cooperativa de cerámicas para poder ofrecer una alternativa a la competitividad tan común en las sociedades industrializadas modernas. Mediante su vida misma, intentaron ofrecer un testimonio vivo de nuevas posibilidades de amor, justicia y compartir económico en sus relaciones cotidianas.

En el norte de España surgió otra comunidad de vida común entre jóvenes católicos de una aldea rural, a fin de compartir su vida y testimonio con vecinos aldeanos muchas veces marginados por la sociedad. Vivían entre sus vecinos con sencillez y compasión en su esfuerzo por comunicarles el evangelio con sus valores del Reino de Dios.

Mientras tanto, en Zaragoza, otro grupo de jóvenes católicos formó una comunidad con el nombre de «Mostaza». Sin pretensiones eclesiásticas, querían dar testimonio mediante su vida y su palabra sencillamente y a la manera de «una semilla de mostaza», ser una comunidad al servicio del Reinado de Dios. Para este fin, organizaron una modesta revista también llamada *Mostaza*, donde fuimos invitados a contribuir artículos que reflejaban una visión radical del evangelio. Este fue el grupo que editó y publicó media docena de temas que yo había venido compartiendo en círculos estudiantiles y eclesiales en España bajo el título *El evangelio: mensaje de paz*. En realidad, la colección reflejaba en buena medida la vida y la reflexión teológica de toda esta red de comunidades cristianas radicales españolas.

Otro libro que surgió de este contexto español fue *La obra redentora de Cristo y la misión de la iglesia*. Al intentar comunicar el «evangelio de la paz» en círculos protestantes y tradicionales, mi tendencia era comenzar con el Jesús de los Evangelios, más que partir de la interpretación paulina de la obra de Cristo, como solían hacer muchas veces los protestantes. Tomar a Jesús como la revelación más clara de Dios me llevó a enseñar un Dios de justicia y paz. Mi insistencia en el seguimiento de Jesús como expresión concreta de la gracia de Dios en la vida de los creyentes sonó un tanto extraña al oído de hermanos y hermanas de una orientación más altamente doctrinal. Fue éste el contexto en que se empezó a cuestionar mi ortodoxia en relación con la obra redentora de Cristo. Luego el libro sería producto de un extenso trabajo de investigación y reflexión sobre esta temática. En él intenté tomar más en serio la variedad de imágenes que emplea el Nuevo Testamento a fin de comprender y comunicar el significado salvador de la vida, la muerte y la resurrección de Jesús.

Imágenes de una iglesia en misión: hacia una eclesiología transformadora refleja en buena medida el itinerario y la búsqueda de las comunidades cristianas radicales de España en aquellos años. Ofrece, en realidad, una visión eclesiológica radical y alternativa. Aunque este proyecto no llegaría a completarse hasta después de compartir y seguir reflexionando en torno a estos temas entre hermanos y hermanas en las iglesias del Cono Sur y Colombia, incluye imágenes que inspiraron a estos hermanos y hermanas de las comunidades cristianas radicales españolas a ser fieles en su vida y misión.

Nuestras experiencias con las comunidades cristianas radicales en España nos ayudaron a ver la importancia fundamental de ser, en verdad, comunidades alternativas de testimonio en el cumplimiento de la misión de Dios en el mundo.

América Latina (1985-2002)

Respondimos a la invitación a volver al Uruguay en 1985 para trabajar en el Centro de Estudios de Montevideo, mediante nuestra participación en la reflexión teológica y en la formación de líderes para la iglesia. Durante los últimos quince años, esa participación fue extendida para incluir la enseñanza a través de toda América Latina y muy especialmente en América Central, bajo los auspicios de SEMILLA. Debido a la situación vivida, estos han sido años claves para la historia de la iglesia en toda la zona.

La historia de la iglesia primitiva, al igual que la de los movimientos de restauración y reforma radicales, ha sido también, en un sentido notable, la historia de la iglesia en muchas partes del tercer mundo, y especialmente en América Latina. Este ha sido el contexto para la preparación y la publicación de *La fe en la periferia de la historia: una historia del pueblo cristiano desde la perspectiva de los movimientos de restauración y reforma radical.*

Se trata de una historia de la iglesia cristiana desde la perspectiva de los pobres, de aquellos que no dependen del poder, sea sociopolítico, económico o militar. Es la comunidad que no necesita el poder para establecerse, pues depende de otra clase de poder, el poder del servicio y del sufrimiento vicario y sacrificial. Su postura en el mundo es tanto profética como salvífica.

Esto ha significado asumir el sufrimiento inocente y vicario en el contexto de la lucha violenta que ha caracterizado a una buena parte de América Latina en estos años. El sufrimiento de los que se han atrevido a levantar una voz profética de denuncia y de anuncio de las buenas nuevas del Reinado de Dios y han sido objeto de represión y de violencia.

El arzobispo Oscar Romero de El Salvador es representativo de este grupo. Antes de morir acribillado a balazos frente al altar de una iglesia en San Salvador, Romero había denunciado con claridad la violencia endémica en su tierra. «Tocar a los ídolos de la muerte», había dicho, era atraer sobre uno mismo «la ira de los poderes». Más aún, identificó a estos poderes: la acumulación excesiva y egoísta de los bienes y la doctrina de la seguridad nacional.

Desde el Cono Sur hasta el Río Grande hubo mártires, protagonistas en la causa de la justicia. Si algún grupo de nuestros tiempos está en condiciones de reconocer y apreciar el testimonio de ellos, debe ser el de los herederos de los radicales de otras épocas. Los radicales anabautistas del siglo 16 también tenían su «espejo de mártires».

Pedro Chelcicky, líder de los hermanos checos del siglo 15 en Bohemia era testigo del sufrimiento indescriptible de su pueblo. Se hallaba entre los sobrevivientes de una guerra fratricida entre sectores moderados y radicales en que unos 12.000 hombres murieron en una sola batalla. El sistema feudal dividía a la sociedad en tres clases sociales, condenando a la mayoría a una existencia de miseria y sufrimiento, y sancionaba injusticias sociales terribles. Inmerso en este sufrimiento, Chelcicky percibía que la salvación de los opresores tan solo vendría a través del sufrimiento asumido por los oprimidos.

Generalmente resistimos esta visión de la realidad. En una conferencia que dictaba en un seminario en Bogotá, cité este texto. En seguida saltó un seminarista y protestó: «Pero se equivocó el hombre.» Sí, podría ser. Pero pensándolo bien, es también posible que él hubiera captado una visión de la realidad que a la mayoría de nosotros se nos escapa.

Esto se entendía así, por lo menos en el Nuevo Testamento. «Porque también Cristo ... padeció, el justo por los injustos, para llevarnos a Dios» (1P 3.18). En este sentido sorprendente, la muerte de Jesús, el oprimido a favor del opresor, tiene el poder para redimir al injusto, al igual que para salvar al oprimido de los funestos frutos de la maraña funesta de la violencia y la revancha.

En su libro *Teología desde el lugar del pobre*, el ex franciscano brasileño Leonardo Boff escribió un capítulo titulado «¿Cómo predicar la cruz hoy en una sociedad de crucificados?» Señala el hecho obvio que no todo sufrimiento es salvífico. En algunos casos donde la opresión ha producido sufrimiento, y hasta muerte, la respuesta ha sido una resistencia rebelde y violenta. En lugar de conducir a cambios salvíficos y reconciliadores, los protagonistas terminan sucumbiendo al enemigo, tanto espiritual como materialmente.

Otras veces, el oprimido aguanta con una resignación amarga el sufrimiento impuesto. Pero aquí, otra vez, la cruz del sufrimiento termina venciendo y del proceso no surge ninguna salvación concreta.

Pero hay todavía otra alternativa. El sufrimiento y la muerte libremente asumidos en favor del opresor tienen la posibilidad de ser verdaderamente salvíficos. Aunque la cruz del sufrimiento no se haya podido evitar, no se le otorgará la última palabra.

Es posible absorber el sufrimiento impuesto como expresión de amor hacia los adversarios que nos violentan. Reaccionar de manera reconciliadora hacia aquellos que están empeñados en violar las relaciones humanas mediante expresiones de egoísmo y violencia es introducir un elemento salvífico en el escenario de las interrelaciones humanas: el amor. Es unirnos a Dios reencaminando la historia hacia la reconciliación definitiva, que incluye a los enemigos.

En mi itinerario latinoamericano, he sido testigo del poder sobrenatural del sufrimiento inocente y vicario, asumido porque lo que se buscaba no era revancha sino la restauración de relaciones sanas, en fin, relaciones caracterizadas por la justicia y la paz. No sólo han sido liberadas las víctimas de una vida amargada y triste, sino que también los opresores violentos han sido desarmados frente a esta clase de amor.

En este contexto han seguido surgiendo oportunidades de participar de consultas y de la reflexión teológica, especialmente con hermanos y hermanas en Colombia y América Central, pero también con iglesias en otras partes de América Latina. De hecho, fue una invitación de CEMTA, en Asunción del Paraguay, en el año 2000, la que proveyó la ocasión para recoger algunos de los temas sobre la paz y la no violencia compartidos anteriormente y en otros contextos, y volver a reflexionar en torno a ellos. En una publicación ocasional de CEMTA salió *Embajadores de paz: hacia una teología bíblica de la paz*. Una versión revisada y ampliada de estas conferencias se halla actualmente en proceso de preparación con SEMILLA, en Guatemala.

Conclusión

Este itinerario en misión me ha llevado a una visión del evangelio en los términos amplios del proyecto salvífico de Dios para la restauración de relaciones entre la humanidad y Dios, entre los seres humanos, y entre los seres humanos y el universo que habitamos. El evangelio de Dios es, en verdad, un evangelio de paz. Este itinerario consiste básicamente de cuatro etapas.

Entre los campesinos de Puerto Rico en las décadas de los '40 y '50, comencé a ver la realidad desde abajo, desde la perspectiva de los sin poder, de los pobres. A partir de entonces he llegado a la conclusión que ésta es básicamente la perspectiva bíblica.

En el Cono Sur latinoamericano, donde se vivió un proceso revolucionario durante las décadas de los '60 y '70, tuve la ocasión de leer las historias de los movimientos radicales cristianos, incluyendo a los anabautistas, y volver a leer el texto bíblico a la luz de esas realidades. Esto ha contribuido a una visión de la iglesia como comunidad alternativa. Esta visión se advierte en *Contra corriente: ensayo sobre eclesiología radical* y otros libros ya mencionados. Fue en este contexto que se gestaron esas reflexiones sobre la iglesia y la misión de Dios en el mundo.

En España, durante la última mitad de los '70 y la primera mitad de los '80, comencé a captar la importancia de la iglesia como comunidad misional del Reino y de una evangelización más integral que responde a la naturaleza global de la salvación que se nos ofrece en el evangelio.

Y finalmente, de nuevo en América Latina, durante la última mitad de los '80 y continuando durante la última década del milenio en la enseñanza a través de América Latina, desde el Cono Sur hasta Mesoamérica, he podido apreciar, como nunca antes, el poder salvífico del sufrimiento vicario asumido a favor del adversario opresor.

De modo que la participación social de los cristianos en sus contextos particulares ya no sería meramente un activismo político, sino que en un sentido profundo y significativo, se trata de misión testimonial (martirio, en el pensamiento bíblico). Se trata de una participación activa en la misión de Dios en el mundo. Es ser proféticos en el anuncio de un evangelio realmente salvífico y transformador. Es ser pacificadores a la moda del «Pacificador» por excelencia. Es vivir, luchar y dar testimonio mediante nuestros hechos-dichos. En el fondo, es poder unir nuestra voz y nuestra vida con las de Jesús mismo, en oración: «Venga tu reino. Hágase tu voluntad, como en el cielo, así también en la tierra.»

Imágenes
de Juan Driver

1

FRAGANCIA PARA DIOS

Rebecca Yoder-Neufeld

«Olor agradable»[1] no es una de las imágenes incluidas en el evocador libro *Imágenes de una iglesia en misión* de Juan Driver. No obstante, esta metáfora bíblica puede estimular una rica reflexión acerca de la tarea apostólica de la iglesia. El apóstol Pablo la usa para describir su propio ministerio, pero en esta ocasión podemos extender su alcance para celebrar y dar gracias en especial por la vida y el apostolado de nuestro hermano Juan Driver, quien ha sido y es fragancia para Dios.

Esta figura se encuentra en 2 Corintios 2.14-16 y forma parte de la explicación y defensa que Pablo da de su ministerio cuando se encuentra menospreciado por los corintios, quienes cuestionan su autoridad y apostolado. Aunque Pablo enfoca su propia tarea y llamado, podemos verlo como pionero en una tarea que corresponde a todos y todas en la comunidad cristiana. Como nos recuerda Juan Driver, esta imagen y otras no sólo sirven para comunicar algo acerca de la autocomprensión de la iglesia, sino que también «son instrumentos poderosos para la creación de un sentido de identidad y misión más acorde con su razón de ser».[2]

> Pero gracias a Dios, que nos lleva siempre en triunfo en Cristo Jesús, y que por medio de nosotros manifiesta en todo

---

[1] Diferentes traducciones bíblicas usan una variedad de términos: el buen olor, olor grato, aroma agradable. Estos términos se usarán aquí intercambiadamente.

[2] Juan Driver, *Imágenes de una iglesia en misión: hacia una eclesiología transformadora*, Ediciones SEMILLA, Ciudad de Guatemala, 1998, p. 9.

lugar el olor de su conocimiento, porque para Dios somos
grato olor de Cristo entre los que se salvan y entre los que se
pierden: para éstos, ciertamente, olor de muerte para muerte,
y para aquellos, olor de vida para vida. Y para estas cosas,
¿quién es suficiente?

2 Corintios 2.14-16[3]

Este corto pasaje concentra una variedad casi vertiginosa de
imágenes. Pablo empieza con la figura de Dios en un desfile de
victoria, quien en Cristo está dando a conocer el triunfo que ha
logrado, tal como lo hacían los líderes militares de su tiempo:
entrando a la ciudad en una procesión festiva con mucha pom-
pa, encabezada por el general con sus tropas, con los cautivos
del pueblo enemigo exhibidos como botín. Algunos argumentan
que *thriambeuō* se refiere simplemente a exhibir algo, sin una
alusión tan clara a la procesión triunfal, pero en todo caso es
una figura que subraya la importancia de ser parte de un acontecimiento presenciado y visto por todos. Al seguir leyendo vemos que no se trata sólo de ser visto, sino de ser olido.

El versículo 14 habla del olor (*osmē*) del conocimiento de
Cristo, o de Dios, que es manifestado en todo lugar por medio de
Pablo y sus colaboradores. La palabra *osmē* se puede referir a
buenos o malos olores, lo cual permite que se retome en el versículo 16 como un olor no agradable para todos y todas. El versículo 15 desarrolla la idea en dos sentidos. En primer lugar, el
olor pasa de ser esparcido por medio de Pablo a ser figura del
apostolado de Pablo; *él* es grato olor de Cristo. Y se especifica
que es el grato olor (ya *euōdia*) de Cristo *para Dios*. Es decir, es
el olor ofrecido a Dios. Hace alusión a la vida del culto, a los
sacrificios.[4] El Antiguo Testamento tiene más de cien referencias

---

[3] Santa Biblia, *Reina-Valera*, Revisión de 1995, Edición de Estudio, Sociedades Bíblicas Unidas, que se usa de aquí en adelante para los pasajes
citados.
[4] Se debate si estas expresiones hacen alusión al sacrificio o no. Se
proponen alternativas del olor como incienso en los desfiles, como imagen
de la presencia divina, o alusivo a la Sabiduría, una opción más convin-
cente. Las objeciones a la alusión al sacrificio incluyen: 1) las palabras

a las ofrendas fragantes hechas a Dios y a los olores agradables al Señor. Cuando Noé sacrifica holocausto en el altar, Dios percibe «olor grato» (Gn 8.21) y hace en su corazón la promesa de no volver a destruir la tierra. Para nosotros, el olor de holocaustos de animales puede parecer desagradable, pero en estos pasajes es claramente el olor del culto, el olor de una buena relación, de Dios que recibe honor y disfruta de la devoción de su pueblo.[5]

El libro de Efesios echa mano de este trasfondo para hablar de Cristo como nuestro ejemplo en lo que es darse con amor y entregarse como sacrificio: «Y andad en amor, como también Cristo nos amó y se entregó a sí mismo por nosotros, ofrenda y sacrificio a Dios en olor fragante» (Ef 5.2).[6]

Es interesante ver que este olor no huele a vida para todos y todas. Nos gustaría pensar que el olor de Cristo para Dios que se esparce por medio de Pablo y de sus descendientes espirituales

---

osmē y *euōdia* no aparecen juntas, como suele suceder con el término casi técnico de la versión de los LXX que se usa repetidamente para referirse al sacrificio agradable a Dios, y 2) el énfasis del pasaje no está en que los olores suben a Dios, sino en que éstos se esparcen entre las personas que están siendo salvadas o se están perdiendo. Sin embargo, aquí se opta por la idea del sacrificio por varios motivos: 1) El énfasis paulino en el sacrificio de Cristo y en su propia participación en ese sacrificio, por ej., 2 Corintios 4.10, Gálatas 2.20; 2) Aunque las palabras *osmē* y *euōdia* no aparecen juntas, están en estrecha proximidad (vv. 14, 15) y es difícil creer que con la frecuencia del uso de la expresión *osmē euōdias* en la LXX (por ej., 40 veces entre Gn 8.21 y Nm 29.26) estas dos palabras no evocarían la idea de ofrenda en el culto a Dios; 3) Si bien el énfasis está en el olor que llega a otras personas, no es motivo para descontar la alusión al sacrificio: el sacrificio de Cristo/Pablo para Dios es notado, es presenciado, y «olido» por otros. Pablo no suele usar las figuras en una forma tan estrecha y precisa, sino que se prestan a creatividad, elasticidad, y alusiones polivalentes; 4) El uso de esta idea es muy clara en otras cartas de carácter paulino: Filipenses 4.18 y Efesios 5.2.

[5] Esto está en claro contraste con el juicio de Dios cuando «dejaré desiertas vuestra ciudades ... y no oleré la fragancia de vuestro suave perfume» (Lv 26.31).

[6] También Filipenses utiliza esta figura en 4.18: «estoy lleno, habiendo recibido de Epafrodito lo que enviasteis, olor fragante, sacrificio acepto, agradable a Dios.»

es un perfume acogedor y llamativo. Pero lejos de ser un aroma universalmente apreciado, como podría ser el olor de la canela o de la lluvia después de una sequía, es más bien como un perfume fuerte, atractivo para algunos, pero al cual otros son alérgicos. El olor del ministerio del evangelio recibe reseñas positivas y negativas. Para algunos es olor de vida; para otros, el de muerte. Es un olor que requiere una respuesta y una definición; la tarea y la presencia apostólica crean separación.

Y para esta tarea, «¿quién es suficiente?» Damos gracias que a pesar de la «insuficiencia» de Pablo o de cualquier otro apóstol para «estas cosas,» Dios sigue llamando a seres humanos a colaborar en difundir olor de vida, capacitándolos en Cristo.[7] Damos gracias a Dios porque uno de ellos es nuestro hermano Juan Driver. Reconocemos su entrega, su sacrificio vivo, su apostolado. Celebremos su vida dedicada a dar a conocer el grato olor de Cristo y a llamar continuamente a la iglesia a ser «olor agradable» que penetra todo, cuya fragancia llega hasta los lugares más malolientes de la experiencia humana.

Recordemos las características de un olor: Los olores penetran, se extienden. Se difunden por cada rincón, tanto los olores ricos del horno como los olores que intentamos ocultar sin éxito. En por lo menos tres continentes ya se huele la fragancia de los escritos y el ministerio de Juan. Ese olor se ha esparcido a lugares por donde él ha pasado en su activa tarea itinerante, y a tantos lugares donde no. La fragancia no se contiene.

Los olores atraen, llamando a entrar en la panadería de la cual sale tan rico olor en la mañana. El énfasis de Juan en el poder atractivo de la auténtica comunidad cristiana ha sido persistente. Nos recuerda que en sus primeros siglos, «el crecimiento de la iglesia se debió más a su carácter como sociedad de contraste en medio de una sociedad pagana, que a sus esfuerzos organizados de extensión misionera.»[8]

---

[7] 2 Corintios 12.9: «Y me ha dicho: "Bástate mi gracia, porque mi poder se perfecciona en la debilidad."»

[8] Driver, *op. cit.*, p. 154.

Los olores se llevan en el cuerpo, en la ropa. El olor de lo que se cocinó se detecta todavía en la ropa. Somos llamados a ser olor fragante en una comunidad de fe atractiva, sí, pero también en el diario caminar del trabajo, de la participación social, en los medios en los cuales estamos dispersos, llevando en nuestra ropa, nuestra piel, nuestro aliento, el olor inconfundible del amor de Dios.

Los olores evocan recuerdos, asociaciones, sentimientos. Que el legajo de Juan Driver siga recordándole a la iglesia en misión el olor que necesita recobrar y renovar en su vida. Que el testimonio de su vida y sus escritos siga trayendo a la memoria la fragancia de vida, el olor de sacrificio gozoso y entrega al Dios que servimos con él.

2

A MI QUERIDO HERMANO EN CRISTO

Rafael Mansilla
(con Byrdalene Horst)

Antes de conocer a Juan Driver ya había leído sus libros. No voy a decir muchas palabras sobre la teología de Juan, sólo que sus escritos me levantaron la cabeza, ya que su mensaje fue realmente *buena noticia* para mí. Sus escritos son claros pero profundos, desafían, motivan y retan. Juan es un pastor y un profeta. No es igual a otros teólogos.

Su teología me llevó a entender que nosotros, pueblo indígena, somos protagonistas y no simplemente espectadores sumisos al esquema de los protagonistas no indígenas. Su mensaje anima a los pobres, motiva a los líderes indígenas a reclamar su dignidad y afianza que este pueblo, por ahora marginado, es una alternativa de cambio. Muestra el gran alcance y la integración del Reino de Dios, dentro del cual su preferencia, según Juan, es hacia los pobres. También su mensaje es distinto al de los demás por su búsqueda de la unidad de todo el pueblo de Cristo, por que haya respeto entre todos y por que, sobre todo, haya comprensión.

Sus escritos motivan en el pobre una actitud de resistencia. Tenemos que resistir que el gobierno vaya a la comunidad y haga lo que quiera. Tenemos que resistir, pero de manera pacífica y cristiana. Driver no es como otros teólogos que dicen que si hay injusticia, hay que aguantar y hay que soportar porque es una señal de que Cristo viene pronto; total, vamos a ir al cielo.

Sus libros incitan al lector a aprender a caminar solo, independiente, libre, pero con la dirección del Altísimo. Así se puede decir que Dios no es paternalista, sino que está contento al ver a su hijo ejercer el don que Dios mismo le ha dado. De manera que

Driver está siguiendo el hilo del mensaje bíblico que la preferencia de Dios es hacia los pobres. Si me preguntan cuál de los libros de Juan es el que más me gusta, yo diría que todos los que tengo. Pero, si me lo piden, puedo decir que es el libro *La fe en la periferia de la historia*.

Notablemente, el enfoque de los libros de Juan, además de la importancia de la salvación del ser humano, incluye, a la vez, el cuidado de la naturaleza, el río, los árboles, el suelo, los animales, las aves; aspectos que los demás predicadores de peso pasan por alto. Por esto el ser animal, las aguas, el suelo y el resto de la creación sufren el maltrato a manos hasta de los que profesan ser cristianos. Esos errores deben corregirse urgentemente y pedir perdón a Dios.

En cuanto al Apocalipsis, último libro de la Biblia, su enfoque hacia el mismo anima a uno a leerlo porque no asusta nada y lo desanima menos; en verdad, lo lleva a uno a caminar firmemente y con fidelidad a Jesús, el Cristo. No hace falta especular ni esforzarse por buscar interpretaciones de lo que pueda ocurrir en el futuro. Solamente lo lleva a uno a confiar en el Dios Verdadero, aquel que controla, interviene y pone fin a los que supuestamente aparentan tener el dominio del mundo. Al fin y al cabo, él defenderá a su pueblo que hoy por hoy sufre el maltrato del gobierno satánico.

La enseñanza de la Biblia debe ser practicada ahora y no en un día lejano, a pesar de que, como mencioné anteriormente, algunos dicen que los cristianos deben soportar con la oración la injusticia practicada por los gobiernos, porque estas cosas son señales de que Cristo vuelve pronto. Sin embargo, nosotros debemos exigir que tal enseñanza se cumpla ahora y enseñarle también a la iglesia que no debe esperar a que vuelva Jesús para que estos desórdenes frenen. Más bien, ésta es una tarea constante para nosotros, para que el mundo crezca en el conocimiento de Dios.

En Formosa, en octubre de 2000, tuve la suerte de conocer a Juan y escuchar personalmente su enseñanza. Enseguida me di cuenta de su sabiduría para bajar a la estatura de sus oyentes. Es triste que sean pocos los hombres y mujeres que tienen la sabiduría de abordar un tema de acuerdo al contexto de sus oyentes.

Así lo hizo Juan como si hubiera estado con nosotros ya mucho tiempo. Vimos su humildad y sinceridad, sin ninguna inconveniencia de ponerse la ropa de sus oyentes, adaptarse a nuestro pensamiento y así hablar fácilmente con nosotros. Porque Driver dijo que todos los conceptos de los participantes son muy importantes, que la conclusión del significado del pasaje de la Biblia que presentaba se definiría y puliría en conjunto. Esto indica la contraposición de las ideas jerárquicas o piramidales generadas y causadas por la pésima actuación de los muchos que dicen ser mensajeros de las buenas noticias a los pobres.

Una noche, en un culto de la Iglesia Evangélica Unida, Driver estaba relatando la historia de la iglesia anabautista que no nació querida ni respetada sino perseguida, y que sufrió muchísimo, pero después llegó a ser respetada. Eso me anima porque, si bien nosotros los aborígenes ahora sufrimos, si seguimos la causa de Cristo y confiamos en él, también llegaremos a ser una iglesia respetada, un pueblo respetado.

Me impactó cuando Juan habló de sus antepasados porque los míos también sufrieron muchísimo. Por eso, cuando me invitaron esa noche a predicar después de que hablara Driver, compartí un mensaje similar a éste:

> Hermanos, estoy muy contento de estar aquí. Al ver pantallazos de lo que perturbó al pueblo aborigen durante estos 500 años, muchas veces arranca ríos de lágrimas para nosotros los nuevos. Nosotros también nos sentimos acorralados y queremos tirar la toalla porque decimos que no somos mejores que aquellos. Pero el Espíritu de Dios está también entre nosotros en nuestros corazones y levanta nuestra cabeza para seguir adelante luchando por una misma causa como pueblo de Dios.

> Cuando empiezo a escuchar la Palabra de Dios, la reflexión me lleva a pensar en dos cosas: en la vida espiritual, pero también en la vida social; yo, como pastor, también soy representante de la comunidad ante la sociedad envolvente y

el gobierno. Muchas veces, cuando leo o escucho la Palabra de Dios, ella me da fortaleza para seguir avanzando.

El pasaje de Éxodo 3.1 al 8 acerca del llamamiento de Moisés me anima mucho. Él vio una zarza ardiendo y no entendio. Entonces se acercó para ver qué pasaba. Cuando vino el evangelio, muchos de entre el pueblo toba no entendieron, pero se acercaron al evangelio hasta que por ahí algunos comprendieron el llamado de Dios, porque Dios llama con un propósito. Moisés no había entendido el llamado de Dios al principio, pero Dios le dijo: Me he manifestado delante de ti con algunas cosas, he visto la aflicción de mi pueblo, he bajado para hablarte, yo voy a hablar contigo, dispuse que mi pueblo se salvara de la opresión.

Hemos escuchado las historias de la iglesia anabautista. Eso me llama poderosamente la atención y me da ánimo para seguir afianzando la causa.

La experiencia que apliqué a mi vida personal y a la vida de la comunidad, la cual he aprendido de los libros de Juan, fue justamente la experiencia de la resistencia constante y pacífica. Fue el reclamo que hicimos con la comunidad ante el gobierno de Formosa en el área de educación bilingüe, para el nombramiento de maestros aborígenes en la escuela de nuestra comunidad San Carlos. Aunque no todos entendían, el 70 por ciento de ellos sí entendía el derecho a reclamar. Nos tildaron de rebeldes pero no nos hicieron callar porque sabemos bien que no somos rebeldes sino que estamos reclamando lo que nos pertenece como ciudadanos y personas.

Con la constancia logramos el objetivo. Fue por la oración y la unidad. Usamos la iglesia como sede de las reuniones de la comunidad porque entendemos claramente que esta lucha era parte de la responsabilidad de la iglesia. Antes decíamos que estas cosas de las que muchas veces nos quejamos no tenían nada que ver con la iglesia. Pero después nos dimos cuenta de que esto es parte de la responsabilidad de la iglesia. Hemos hecho la lucha a través de la unidad de la iglesia, la oración y la lectura de la Biblia para que los que encabezamos esa lucha tengamos fuerza y ánimo para seguir resistiendo la respuesta negativa del gobierno, hasta que lo logramos a través de la oración y el apoyo de los demás hermanos. Por tres años hicimos huelga en la comunidad, no permitiendo que nuestros hijos asistieran a la escuela hasta que el gobierno nombrara a maestros bilingües que enseñaran a los chicos en su propio idioma toba. También pedimos que la directora sea reemplazada a causa de su maltrato a los niños en el predio de la escuela. Al final, el Ministerio de Educación nombró en total a cuatro maestros bilingües.

Un año después, los de la comunidad toba de San Carlos acordamos hacer una reunión de encuentro en nuestra iglesia en abril de 2006. La llamamos «El intercambio de experiencias - Lucha por la paz». Hicimos el encuentro un fin de semana para poder convocar a muchos hermanos de otras comunidades a exponer y compartir nuestras experiencias, de modo que si ellos tienen ese mismo problema, entonces justamente puedan tener idea también de cómo luchar. A la vez, necesitamos escuchar las experiencias de otras comunidades. Nos pueden servir porque sabemos que la lucha de las comunidades es un largo camino a recorrer. Si no nos sometemos a Dios, será difícil lograr el objetivo, porque la iglesia es la única fuerza que hace que la gente esté unida en la causa. Fuera de la iglesia, no existe otra forma de unir a la gente. La unión de los creyentes es fuerte y no se rompe fácilmente porque no hay rivalidad dentro de nuestra iglesia.

Nosotros decíamos que esta lucha no es una lucha violenta. Consideramos que es una lucha pacífica porque estamos pidiendo lo que necesitamos y lo que es nuestro derecho. Durante estos tres años de reclamos y medidas de protesta, no permitiendo a los chicos asistir a la escuela, yo también, como pastor y cacique, tuve que sufrir con ellos, por amor a mis hermanos. Por eso, aunque tuve la posibilidad de mandar a mi querida hija, Mara, a la escuela del pueblo de Subteniente Perín, ya que allí tengo la casita, no lo hice por causa de eso. Ahora ella debería estar cursando sexto grado; sin embargo, está en tercer grado. Por la gracia de Dios, algún día, cuando sea grande, será su testimonio.

Vivir como comunidad radical

3

COMUNIDAD Y COMPROMISO CON LOS MARGINADOS

José Gallardo

Introducción

Conocí a Juan Driver en el Seminario Menonita de Montevideo, Uruguay, en 1968. Este encuentro marcó mi vida. Juan y su esposa Bonny fueron para mí unos padres que me dieron amor e inspiración. La dirección de mis futuros compromisos fue influida en esos años por las enseñanzas de Juan. No sólo por sus enseñanzas sino también por su vida.

Juan y Bonny vinieron a vivir a España a fin de compartir el pensamiento y la visión anabautistas. Viajé con ellos, a veces a un ritmo acelerado, para que conocieran diferentes contextos españoles donde podrían servir como recurso en la enseñanza. Vivieron en Madrid y Barcelona. Su impacto fue notable en diferentes centros de formación, en iglesias de varias denominaciones, en los Grupos Bíblicos Universitarios, donde estimuló la objeción de conciencia al servicio militar, y en las comunidades cristianas radicales. Éstas fueron las que mejor recibieron y vivieron sus enseñanzas. Lo que no podía imaginar era que Juan sería el instrumento de Dios para que yo llegara hasta Burgos y me comprometiera en el ministerio en el que he estado desde el año 1978.

En aquellos años, Juan viajaba regularmente a Burgos para enseñar. Posteriormente siguió viniendo a España, aunque con menos frecuencia. Sin embargo, sus libros han seguido teniendo un gran impacto en muchas vidas y comunidades para cuya existencia él ha sido instrumento.

Los pensamientos y experiencias que comparto a continuación están impregnados de la enseñanza de Juan. Se trata de una serie de reflexiones y pinceladas surgidas de una vida en comunidad. Nuestra comunidad es un lugar donde se acoge a personas marginadas con diferentes problemáticas y se les ofrece sanidad por medio de la vida en común, la oración y el trabajo comunitario. En estos años de nuestra andadura, Juan Driver nos ha animado cada vez que ha venido a España y ha expresado de forma clara que ha encontrado aquí unas comunidades que, en su opinión, encarnan su concepto de iglesia.

Me ha parecido significativo reproducir aquí un escrito de Juan que expresa su sueño de ver en nuestro país una red de comunidades inspiradas en el Nuevo Testamento que reflejen el pensamiento y estén en línea con lo que se ha llamado la Reforma Radical de la Iglesia y el movimiento anabautista del siglo 16.

Visión

Tengo una visión para el futuro de las comunidades cristianas radicales en España. Y aunque no describe la fe y vida de las comunidades en su totalidad, incluye una serie de aspectos fundamentales.

Sueño con una creciente red de comunidades donde el carácter espiritual del pueblo de Dios se reconoce con claridad. Serán espirituales en el sentido de depender del Espíritu de Dios en todo aspecto de su vida. De modo que serán carismáticas en su vida y en sus estructuras, al igual que en su culto. Una vida propia del Reino de Dios será una realidad en su medio gracias al poder del Espíritu de Cristo entre ellas y en ellas. La vida de las comunidades particulares al igual que las relaciones entre las comunidades será alimentada y ordenada por los dones del Espíritu. Y la verdadera autoridad será reconocida en ellas mediante el servicio desinteresado con que su vida común es sostenida.

Sueño, también, con una red de comunidades con una clara comprensión de la unidad esencial del pueblo de Dios. Esta unidad es espiritual no en el sentido de ser invisible o intangible, sino en el sentido de ser un regalo del Espíritu de Dios. Se expresará especialmente en términos de relaciones de compromiso y amor entre personas y grupos, y no principalmente en formas doctrinales e institucionales. Las diferencias que surgen requerirán mucha oración para resolverse en lugar de sencillamente elaborar definiciones doctrinales más explícitas o relaciones intercomunitarias más cuidadosamente delimitadas.

Sueño con comunidades en que la vida de los cristianos se expresa fundamentalmente como discipulado, como un seguir a Jesucristo concretamente en el camino de la Cruz. Este es el camino costoso de sufrimiento paciente y disposición a poner la vida por los demás. Pero el camino de la Cruz es el único camino por medio del cual la imagen de Cristo puede llegar a ser realidad en nosotros.

Sueño con comunidades donde la paz y la no violencia son asumidas como elementos integrales del evangelio de Jesucristo. Se asumirá esta alternativa en relaciones con la sociedad en general y asimismo se dejará que determine todas las relaciones interpersonales dentro de la comunidad. Estas comunidades darán testimonio profético a católicos y protestantes españoles por igual sobre cuestiones de militarismo, materialismo e injusticias sociales y económicas.

Sueño con comunidades donde las formas concretas de comunión que toma la salvación entre nosotros se experimentan en toda su rica gama. La vida común en el espíritu se compartirá en relaciones que son, a la vez, espirituales, sociales y económicas. Esta vida compartida en las comunidades proveerá la seguridad necesaria para poder dar testimonio auténtico y valiente en medio de las crecientes presiones del materialismo y el consumismo en la sociedad española.

Sueño con una red de comunidades entregadas con integridad a la tarea de la evangelización. Esta evangelización se basará en la vida de las comunidades, al igual que en la presentación personal del mensaje del evangelio. Hemos pasado por un período en que el Espíritu nos ha venido formando en pueblo con sentido de identidad espiritual. Somos comunidades del Espíritu llamadas a ser instrumentos de su misión en el mundo. Ahora, después de este período formativo, habrá el deseo creciente entre nosotros de compartir con entusiasmo la buena noticia del evangelio.

Sueño con una creciente red de comunidades cuya vida y misión serán alimentadas por una esperanza viva. Sostenidas por una esperanza bíblica y auténtica se vivirá a la luz del futuro de Dios que Él nos ofrece. El Reino de Dios que ha comenzado en Jesucristo, que sigue viniendo donde quiera que hombres y mujeres responden con integridad al evangelio, y que finalmente llegará en toda su plenitud, es el fundamento de nuestra esperanza. Este futuro que Dios prepara ya se está comenzando a experimentar en nuestro medio y de forma creciente determinará nuestras vidas y nuestra misión como pueblo de Dios. Esta es la visión que comienza a irrumpir en medio de nosotros. Esta es la visión que reclamo para todos en el Espíritu del Señor Jesucristo. ¡Maranatha! ¡Amén!

Este sueño, que es en cierto modo el testamento de Juan para las comunidades cristianas en España, puede encontrar su realización en buena parte en la comunidad que represento y en las enseñanzas propagadas por Juan que aquí se viven.

En la primera página de su libro *La fe en la periferia de la historia,* Juan nos escribió esta dedicatoria: «A José y Carmen dedico este libro que reflexiona sobre la historia de la salvación desde la perspectiva de los marginados a través de los siglos. Vuestra vida y ministerio nos ha servido de ejemplo a muchos. Para Bonny y para mí nos es una gran bendición poder contaros entre nuestros compañeros de camino en el seguimiento de Jesús. ¡Que nuestro Señor os guarde y bendiga! Juan y Bonny.»

Del amor y la verdad

Muchos se preguntan al visitar nuestra comunidad: «¿Cuál es el método que estáis siguiendo para la rehabilitación de adictos a la droga y para la reinserción de marginados?» Aunque intentemos hablarles con seriedad y de manera técnica, la verdad es que no tenemos ningún método. El origen de nuestra terapia está en un grupo de jóvenes que decide vivir su fe formando una comunidad abierta a todos los necesitados. Pronto nos vimos desbordados por el problema de la droga y tuvimos que adaptarnos y legalizarnos. La verdadera motivación de nuestra comunidad es expresar el amor de Jesucristo a los marginados por diferentes tipos de problemas: alcohol y drogas, delincuencia y prisión, rupturas familiares, personas maltratadas y marginadas por causa de su inadaptación social, etc.

Al encontrarse esas personas con las verdades del evangelio transmitidas por medio de nuestra fe, nace en ellos una esperanza y una fuente 'de sanidad. Al conocer y obedecer las enseñanzas bíblicas se abre una puerta de dignidad y de realización nunca antes imaginada por ellos. Hasta entonces, en la mayoría de los casos, ellos eran la escoria de la sociedad, rechazados por todos.

La experiencia de la conversión de estos jóvenes que vienen a la comunidad es verdaderamente la de un nuevo nacimiento. Empiezan de nuevo su vida sobre nuevas bases, recobrando lo bueno perdido o encontrando una salvación con repercusiones prácticas, cotidianas y eternas. Somos testigos del cambio en las vidas de ladrones y traficantes de droga. Vidas contaminadas por un desorden moral y familiar que se convierten en personas respetables con una formación profesional, que dirigen empresas y ofrecen trabajo a necesitados. Ahora hay muchos que han pasado de ser «la oveja negra de la familia» a ser el faro o modelo que puede guiar a otros con autenticidad hacia el camino de salida del túnel de la autodestrucción y hacia la superación de muchos problemas.

La conversión, *metanoia* o transformación como consecuencia del arrepentimiento hace que un joven pase de la más terrible soledad y de un aislamiento mortal a la comunidad de vida y de fe. Es salir de la perdición en un mundo sin sentido y encontrarse con el Dios de la liberación y la esperanza. Es un encuentro con la verdad, donde las mentiras acumuladas por años se desvanecen como tinieblas ante la luz. La responsabilidad moral por los propios hechos hace posible un cambio de actitud y de comportamiento. La vida en comunidad es un proceso de evangelización donde uno se libera del pasado destructor al iniciar la nueva vida. Ese pasado ya no tiene lugar en esa nueva vida si no es para llenarse de gozo ante la inmensa e irresistible gracia de Dios que todo lo perdona.

A lo largo de estos años estamos formando líderes que han desarrollado grandes dones y ministerios, gracias a la confianza que se ha puesto en ellos, viéndoles con los ojos de la fe y gracias a su perseverancia a pesar de los fracasos. El discipulado forma una parte importante de nuestra comunidad. El discipulado consiste, entre otras cosas, en un seguimiento personal en el que se ayuda a la persona a superar sus traumas; en el trabajo en grupo con diferentes contenidos de enseñanza que tratan aspectos del carácter y del comportamiento. Contenidos importantes de la enseñanza del discipulado son el sometimiento al señorío de Cristo, la preparación para servir a los demás y la dirección del Espíritu Santo.

La dimensión carismática ha sido fundamental en nuestra experiencia, ya que uno no puede enfrentar con eficacia tal ministerio entre marginados sin los dones de sanidad, de milagros, de discernimiento de espíritus, de fe, de servicio, de exhortación, de misericordia, etc.

Como hilo conductor de nuestra identidad hemos tenido un anhelo firme por la renovación de la iglesia. Este ha sido siempre uno de nuestros desafíos constantes: proclamar la verdad en amor y tener una visión crítica hacia tantas formas de cristianismo que no concuerdan con el evangelio de Jesucristo y que son un escándalo o una piedra de tropiezo para muchos que miran al cristianismo desde fuera.

De la reconciliación

En nuestras comunidades de rehabilitación y reinserción de marginados, la mediación y la reconciliación son primordiales. A menudo te encuentras con situaciones de ruptura familiar, de enajenación personal, de persecución por la policía y la justicia, de prisión. Ofensores y víctimas, padres e hijos, matrimonios separados por la droga o el alcohol y la violencia que todo ello conlleva. Acabo de ser testigo de un parricidio por falta de reconciliación. Un joven ha matado a su padre por diferencias personales estando él bajo los efectos de la droga. La solución a situaciones trágicas como ésta sólo puede encontrarse en el perdón.

La primera reconciliación necesaria es con Dios. A Dios se le ha rechazado por causa de la opresiva religión dominante, con recuerdos cargados de abusos y de engaños. Las personas que vienen a pedir ayuda a nuestra comunidad no buscan a Dios necesariamente. Sin embargo, todas ellas sufren de un extraño vacío que necesitan llenar con el amor de Dios. Sus vidas se vienen consumiendo en una sed de placer y aventuras, en una búsqueda de sensaciones sin límites, en una moral sin barreras.

La convicción de pecado la lleva a cabo el Espíritu Santo, pero el encuentro con Dios se hace realidad en la medida en que se vuelve a establecer una relación de amor con el Padre como hijos pródigos. Para ello, la persona y la obra de Jesús son imprescindibles. Pero Jesucristo no es sólo el medio de salvación para el pecador sino también el paradigma de la nueva humanidad. Somos reconciliados con Dios en Cristo para que andemos como él anduvo sobre esta tierra, en obediencia al Padre hasta la muerte y muerte de cruz.

Quienes vienen a la comunidad de creyentes traen consigo una carga pesada de heridas y cuentas pendientes. Muchos no se han perdonado a sí mismos por lo que han hecho o no han perdonado a otros y aún menos han pedido perdón. De hecho, algunos han intentado suicidarse varias veces y han huido hacia adelante en una vida de abandono personal e indignidad social. La sanidad interior de personas marginadas empieza por la aceptación de sí mismos con realismo, conscientes de sus debilidades pero dispuestos a cambiar.

No se puede empezar un proceso de transformación a menos que haya una visión correcta de sí mismos, una disposición a superar los traumas del pasado sin echar las culpas a nadie y una capacidad para perdonar y pedir perdón. La autorreconciliación es una forma de integridad e integración. Muchos han huido de su enfermedad provocándose más daño. Como quienes están infectados con el VIH y se lanzan a una vida de desenfreno aprovechando los cortos años de vida que podrían quedarles. La fe y el compromiso comunitario no sólo devuelven la dignidad ante los demás sino también ante uno mismo.

Nuevas metas, nuevos proyectos de vida, una nueva visión, un servicio sacrificial ayudando a otros tal como uno ha sido ayudado, he aquí algunos de los resultados de la reconciliación con Dios y con uno mismo.

Sobra decir que cuando uno está en paz con Dios y consigo mismo, busca la paz con los demás. Una buena relación con Dios pasa por una buena relación con tu prójimo. Reconciliación con el cónyuge, con la familia, con la sociedad, con la justicia, todo ello forma parte del programa de alguien que ha salido del caos y la confusión y quiere poner su vida en orden. La Palabra de Dios y el Espíritu Santo dan a la comunidad cristiana la dirección y el poder para llevar a cabo tales reconciliaciones y tales transformaciones.

De la comunidad

En su libro *Comunidad y compromiso*, Juan Driver escribe: «La tarea básica de la evangelización es llamar a individuos al arrepentimiento e invitarles a que entren a formar parte de la comunidad del pueblo de Dios que anticipa, aquí y ahora en la tierra, el Reino de Dios que vendrá finalmente en toda su plenitud.»[9] Esto implica que no hay arrepentimiento verdadero sin el paso de pertenencia al cuerpo de Cristo aquí en la tierra, que es la comunidad cristiana.

La comunidad cristiana es fundamentalmente el conjunto de relaciones y de convivencias entre hermanos y hermanas que han encontrado su salvación en Cristo. Aquellos que han dejado esta generación mala y perversa y han hallado en Dios no sólo el puerto hacia donde dirigir sus vidas sino también el barco que les lleva a ese puerto. Esta comunidad que Juan Driver acertadamente llama «mesiánica» es el prototipo de la nueva sociedad, del nuevo mundo que Cristo hace realidad y que es un anticipo del Reino de Dios en la tierra. Esta realidad colectiva de seres humanos santificados por la presencia de Dios en su medio es la sal que sana la tierra e impide su mayor corrupción, es la luz que alumbra en medio de la oscuridad.

La expresión más sublime de ese encuentro comunitario entre Dios y los seres humanos es el culto. El espacio y el tiempo

---

[9] Juan Driver, *Comunidad y compromiso*, Ediciones Certeza, Buenos Aires, 1974, p. 88.

en el que se encuentran el cielo y la tierra, en donde se hacen realidad las peticiones del Padre Nuestro: «que tu nombre sea santificado, que tu reino venga y que se haga tu voluntad aquí en la tierra como en el cielo.» El culto es el momento por excelencia en el que Dios habla a su pueblo y el pueblo habla a Dios. Es el tiempo de dar a Dios lo que es de Dios, de poner a Dios en su lugar, como el primero, como el centro de la vida. Es el tiempo y el espacio por excelencia, donde nos encontramos bajo su mirada, donde nos exponemos a su acción, donde discernimos su voluntad e interpretamos su Palabra, y donde recibimos la inspiración y el poder para obedecerla.

El culto es el momento en el que la comunidad se reúne y se expresa corporativamente; es un momento de fiesta, de celebración, de gozo, de alabanza y gratitud. La fiesta es la expresión de la alegría que implica haber sido redimidos, salvados, transformados, liberados de todas las esclavitudes, y donde se recuerdan las grandes hazañas de Dios en nuestro favor y se proyecta el futuro con esperanza. El culto que celebra la comunidad no es posible sin el amor, la verdad y la reconciliación. De hecho, es el mejor exponente de todo ello. Sin el culto, la comunidad perece, porque separados de Él, nada podemos hacer.

La asamblea comunitaria es igualmente un encuentro de oración y de proclamación. Allí se eleva el clamor de nuestros corazones hacia Dios en expresión de nuestras necesidades y nuestra dependencia de Él. Allí también se proclama su autoridad soberana y se invita a todo el que quiera a disfrutar de los beneficios de su bendición y a presentarse en sacrificio como una vida entregada de lleno a Él.

La comunidad es también trabajo. *«Ora et labora»* es el principio comunitario que resume el quehacer básico y la relación interdependiente entre lo espiritual y lo social. En nuestro desarrollo comunitario hemos visto la importancia de la creación de fuentes de trabajo y de recursos. El trabajo no es necesario sólo para una economía saneada sino también para la sanidad del cuerpo y del alma. El trabajo es una escuela para el carácter y una fuente de dignidad y autoestima. El fruto de nuestras manos refleja nuestro parecer al Dios creador. Jesús decía: «Mi Padre trabaja y yo trabajo.»

Todo aquel que aspira a una experiencia liberadora del evangelio tiene que hacer de su vivir diario una ofrenda a Dios. Trabajando como para el Señor y no para los hombres. Trabajando no sólo para satisfacer nuestras necesidades sino para ayudar a aquel que por cualquier razón no puede trabajar y padece necesidad. Ninguna búsqueda de espiritualidad puede eliminar la necesidad de trabajar. Aun a aquellos que esperan el inminente retorno del Señor y que por ello no quieren trabajar en la comunidad, Pablo les dice: «El que no trabaja, que no coma.» Y si bien «no sólo de pan vivirá el hombre», la casa donde Dios se hace carne, la Casa de Dios es la «Casa del Pan» (Belén = Betlehem = Casa del Pan).

La comunidad cristiana es el lugar donde se plasma de manera visible la intención original de Dios con la humanidad, donde se superan las barreras sociales, donde todos aportan lo que tienen y reciben lo que necesitan, donde la sociedad debe encontrar su modelo y desafío. Las relaciones económicas en la comunidad deben ser el reflejo de una humanidad redimida del egoísmo y el individualismo reinantes en el mundo. La generosidad, la solidaridad y el altruismo deben ser ejemplificados en la comunidad por las contribuciones espirituales y materiales de todos en vista del bien común. El comunismo es una desfiguración de la comunidad. Pero como siempre, el diablo imita y caricaturiza los planes de Dios para la humanidad, robándole al creador sus ideas y copiándolas malamente. No obstante, la comunidad es, según el libro de los Hechos, la mejor expresión de la vida de la iglesia, de la nueva sociedad, la nueva humanidad en Cristo, y refleja el prototipo de iglesia que el Espíritu Santo inspiró en Pentecostés.

De la misión

Para poder hablar de Dios en otras partes uno necesita el respaldo de su comunidad local. No tenemos más autoridad que la que nos da el apoyo de un cuerpo que funciona según las pautas del Nuevo Testamento. Para ir, uno tiene que ser enviado. El movimiento de extensión del pueblo del nuevo pacto tal y como Jesús lo ordenó parte desde Jerusalén, pasando por

Judea y Samaria, y llega hasta lo último de la tierra. Podemos concebir a este movimiento gráficamente como una serie de flechas que atraviesan sucesivos círculos concéntricos que se extienden hacia el horizonte y a través de los cuales, partiendo desde el núcleo, uno puede ir hacia la periferia sabiendo que tiene la seguridad de que la presencia y las señales de Dios acompañarán a sus discípulos en el anuncio de las buenas nuevas de salvación, tal como Dios lo prometió.

En nuestra empresa misionera, bueno es recordar de dónde venimos y volver una y otra vez al núcleo donde comenzó la onda expansiva, al libro de los Hechos, al Nuevo Testamento, con el fin de no perder lo fundamental y poner en su lugar lo accesorio. Hoy la iglesia ha institucionalizado formas y tradiciones que no tienen nada que ver con el modelo original y que hacen más difícil que los que están fuera se sientan atraídos por el obrar de Dios en su pueblo. A menudo, al mirar las iglesias, se ve a los hombres y sus planes pero no se ve a Dios. La iglesia se convierte en un club social más que compite cn sus programas con un mundo que le lleva muchos años de adelanto en la presentación de un entretenimiento atractivo.

Desgraciadamente, en muchas ocasiones, llevamos a otras partes falsos modelos de iglesia, además de una teología equivocada que acentúa los valores de nuestra cultura, tales como el individualismo y el hedonismo. Una salvación personalista y la búsqueda del beneficio más que del sacrificio son los subproductos de nuestra eclesiología deformada.

Y no hablemos del clasismo que permea nuestras congregaciones. Atraemos a aquellos que son semejantes a nosotros. Nos amenaza la diferencia, lo nuevo, lo extranjero. Sin embargo, en este mundo globalizado, donde las emigraciones son frecuentes y generalizadas, la comunidad cristiana tiene que abrirse a lo multirracial y multicultural.

De igual manera, al ir a otros países con la Gran Comisión, la comunidad no es solamente la mejor portadora de las buenas nuevas encarnadas entre los hombres sino que también es el mejor vehículo para comunicar un mensaje que es en sí profundamente comunitario. Las ideas de pueblo, familia, tribu y nación se entienden mejor anunciándolas colectivamente con un modelo atractivo y ejemplar. Del mismo modo que la Palabra se discierne mejor en comunidad, la encarnación de esa Palabra y la contextualización de nuestro mensaje se llevan a cabo con mayor integridad en la comunidad misionera.

Las experiencias misioneras que nuestra comunidad ha llevado a cabo en África del Norte y del Oeste nos han mostrado una vez más que son los pobres y marginados los que mejor responden al anuncio de las buenas nuevas, y que la comunidad de creyentes es la más apropiada para responder a sus necesidades e identificarse con ellas haciéndolas suyas, para poder cambiarlas, y esto a pesar de no tener demasiados recursos económicos.

Llevar a cabo la labor misionera desde la sencillez, la humildad y aun la escasez de medios es la mejor manera de identificarse con los pobres, con los que sufren. Es hacerles ver que nosotros también somos vulnerables. La prepotencia y la superioridad con que se han llevado a cabo experiencias misioneras han levantado barreras infranqueables entre los misioneros y los pueblos del tercer mundo. No es de extrañar que el verdadero crecimiento de la iglesia en esos países haya venido de la mano de la acción de los agentes y los dones de las iglesias locales, o por la auténtica encarnación de los misioneros extranjeros.

Conclusión

Juan y Bonny han sido para muchos que les hemos tratado un ejemplo a seguir y unos auténticos misioneros. No sólo han dominado el castellano con maestría sino que se han identificado totalmente con los pueblos a los que han servido.

Cuando en tu camino encuentras personas que reflejan con su vida la autenticidad de su fe, te sientes motivado a hacer lo mismo. El carácter y el trato de Juan y Bonny me han hablado tanto o más que sus enseñanzas. En su testimonio he podido ver el amor y la verdad del mensaje de Jesucristo. Han sido instrumentos de reconciliación y modelos a la hora de vivir los valores comunitarios y de experimentar el verdadero llamado misionero.

Una vez más quiero expresar desde aquí mi agradecimiento a Juan y Bonny por esa amistad preciosa que hemos mantenido durante cerca de treinta y cinco años. Estos pensamientos y el testimonio de nuestra comunidad al servicio de los marginados son un fruto de los años en que ellos han estado sirviéndonos con sus dones y ministerios.

4

SIN COMUNIDAD NO HAY AMOR GENUINO
Una reflexión teológico-pastoral sobre la ausencia y urgencia de la eclesiología radical

Víctor Pedroza Cruz

> *Por eso es necesario pasar por encima de lo que la iglesia, desde esa época hasta hoy, ha hecho y dicho en testimonio de esa encarnación ... Sólo en la medida en que este proceso sea un retorno a Jesucristo puede llamarse renovación o reforma radical.*
>
> Juan Driver

Introducción

El significado de ser iglesia hoy ha tomado muchos matices. En algunos círculos, se la identifica como una institución caduca y retrógrada; pero en el extremo, se la coloca como la defensora y promotora de los derechos humanos y de las mejores causas sociales. A veces, se le mira como un club exclusivo para ciertos socios. Otras, como el lugar donde las necesidades espirituales habrán de quedar satisfechas. Hay quienes dirán que la iglesia es un conventículo donde uno puede refugiarse del perverso mundo y otros la verán como el lugar ideal para acoger a lo peor de ese mundo. Lo interesante de ello es que los creyentes no siempre coincidimos.

Así entonces encontraremos muchas eclesiologías. Porque, como señala Juan Driver, algunas instituciones «carecen de una doctrina coherente de la iglesia ... [esto es así] ... porque ven a la iglesia como un "paréntesis" en los propósitos salvíficos de Dios ... [entre ellos] se concibe a la iglesia fundamentalmente como instrumento para la predicación del evangelio».[10] En medio de todo este escenario, he descubierto y aplicado en mi propia comunidad de creyentes lo que Juan Driver nos propone con su entendimiento de la eclesiología radical: que son experiencias vividas que le otorgan autenticidad a la misión. La eclesiología radical es una visión coherente y global del proyecto salvífico de Dios para su pueblo. Volver a las raíces, conforme a la intención divina expresada en Jesús y en la comunidad mesiánica. Además se desembaraza de las presiones domesticadoras de la cultura y de los sistemas en que estamos inmersos.[11]

La pentecostalización y «carismatización» de la iglesia[12]

Como una ola arrolladora, de unos treinta años a la fecha, el impresionante crecimiento pentecostal es un hecho ineludible. El pentecostalismo no es únicamente el movimiento misionero más grande quizá en toda la historia de la iglesia, sino que además decenas y cientos de las iglesias tradicionalmente llamadas históricas se han pentecostalizado; aunque muchas de ellas siguen conservando su nombre original, han adoptado las prácticas y creencias pentecostales.

En otro ámbito, pero en realidad íntimamente muy cerca, se encuentra el fenómeno carismático representado por las megaiglesias, cuyas prácticas y creencias impactan en primer lugar a los pentecostales, aunque por cierto, grupos pentecostales rehú-

---

[10] Juan Driver, *Contra corriente: ensayos sobre eclesiología radical*, Ediciones SEMILLA, Ciudad de Guatemala, 1998, p. vii.

[11] Paráfrasis y resumen de Driver, de *Contra Corriente*, *ibíd.*, pp. v, vi.

[12] Yo me atrevo a hacer una diferenciación entre el pentecostalismo histórico, surgido a principios del siglo 20 y que se identifica con la Reforma Protestante del siglo 16, y el movimiento carismático contemporáneo que se ha apropiado de la experiencia del Espíritu y se define como *la Iglesia Cristiana*.

san identificarse con los carismáticos y hasta en algunos casos los tachan de herejes.[13]

Me es importante mencionar ambos fenómenos porque ambos han tenido un impacto arrollador en nuestras iglesias anabautistas menonitas. Y si bien no he encontrado —al menos en mi ciudad— una iglesia que se llame Iglesia Menonita Pentecostal, su práctica eclesial así lo demuestra.[14]

Tampoco puedo negar que a las iglesias menonitas/ anabautistas que han optado por pentecostalizarse o carismatizarse les está «yendo bien» y que son iglesias «vivas», «dinámicas» y «evangelizadoras» pues, como un pastor menonita guatemalteco me dijo un día, «si no nos carismatizamos, vamos a desaparecer». Mas cuando eso ocurre, desde su organización, sus liturgias y su abandono de la praxis radical para aceptar como signo de verdadera espiritualidad la praxis de la experiencia, se evidencia un abandono también de la eclesiología radical. Entonces, creo yo, carismatizarse o pentecostalizarse no es una mejor opción.

Signos visibles de la eclesiología radical

Ser una «iglesia de creyentes» hoy, en la perspectiva de Juan Driver, es toda una aventura y, sin embargo, para actuar con justicia, he aquí algunos de los signos que hallo entre los anabautistas/menonitas por los que podemos afirmar que hay iglesias que no se han retraído del todo:.

> 1. Estas iglesias han florecido en la periferia, en las zonas marginadas y los barrios pobres. La iglesia en Latinoamérica, es una iglesia sencilla, de humildes y de pobres. 2. El liderazgo ha surgido de entre las propias comunidades ... 3. Las mujeres gozan de gran reconocimiento entre nosotros.

---

[13] Primer Congreso Nacional de las Asambleas de Dios de Perú, «Corrientes heréticas actuales y sus entornos», presentado por el Rev. Donald Hugo Jetter, trabajo fotocopiado.

[14] Aunque para obrar con justicia reconozco que hay iglesias, pocas, pero las hay, que se resisten a esas formas. En este escrito, más adelante, resumo algunas de sus características.

Algunas incluso son pastoras y otras han sido ya promovidas a los altos puestos directivos de la denominación. 4. Las ordenanzas del Señor se practican con regularidad. 5. En muchos casos, se fomenta la vida comunitaria. Hay iglesias que han llegado a ser verdaderas familias. Familias alternativas, que proveen y nutren. 6. Se practica la solidaridad mutua y el apoyo mutuo. 7. Hay oportunidades de servicio y desarrollo para todos en las iglesias. Los dones espirituales son reconocidos y aprovechados. 8. Ha existido siempre la intención de capacitarse para el ministerio. 9. Algunas conferencias de iglesias cuentan con sus propios institutos bíblicos.[15]

Y no obstante, nos seguimos preguntando si esto es la eclesiología radical pues, para ser honestos, tenemos que reconocer que los puntos anotados también podrían estar describiendo a una iglesia pentecostal (aunque no a una iglesia carismática).

¿Responde la eclesiología radical a los dilemas actuales?

Pero, en la vida diaria, ¿cómo responde la eclesiología radical a la terrible deshumanización que presenciamos en nuestras grandes ciudades latinoamericanas, a la imparable migración con sus riesgos de muerte para nuestros campesinos y trabajadores, al creciente e imparable imperio del narcotráfico, al descrédito en que han caído partidos políticos y gobernantes (incluyendo los evangélicos), a la rapidísima disolución de la familia, al surgimiento de cientos de cultos paracristianos que nada tienen que ver con el cristianismo y que en su mayor parte son religiones milagreras pero sin ética?

Las iglesias se autocomprenden como «misioneras en el mundo» y lo son, pero ¿qué predican? Porque «la nueva creación que ha comenzado ya en la iglesia eventualmente tocará a todo el universo. Esta no es meramente una afirmación teoló-

---

[15] Víctor Pedroza Cruz, extracto de una ponencia presentada en la Consulta Anabautista Latinoamericana el 16 de julio de 2000, en Ciudad de Guatemala.

gica de inmanencia divina. Es más bien la confesión de que la nueva creación con dimensiones cósmicas ya es una realidad en Cristo y en la iglesia. La misión mesiánica de Cristo y de la iglesia apuntan hacia la renovación de toda la creación»[16]. Sin embargo, los cristianos siempre tenemos excusas para no comprometernos tanto. Una práctica radical de la nueva creación difícilmente la encontramos presente en nuestras eclesiologías, pues es mucho más sencillo ser «democráticos» ó «teocráticos», o confiarle todo a un líder fuerte y carismático que vivenciar la realidad de tener al Mesías entre nosotros.

Un tema ausente en la predicación y la enseñanza es el Reino de Dios. ¿Con qué nos quedamos entonces? La mayoría está contenta de concebir el Reino como algo futuro que está por venir. Pero mientras tanto, ¿cómo vivimos? El Reino de Dios es algo que esperamos con ansias, que vendrá un día. Pero el Reino no es algo que entra a nuestro corazón, sino que nosotros entramos al Reino.[17] Por eso es que una eclesiología que no está impactada por la realidad del Reino aquí y ahora recurre a los modos y formas «de este mundo».

¡Qué importante es entonces nuestra comprensión del Reino! Según Driver, la iglesia no sólo proclama el Reino de Dios, sino que también es la comunidad del Reino, un anticipo (modesto pero auténtico) del Reino. La iglesia que vive a la vista del mundo y se presenta como modelo y anteproyecto de la intención de Dios para todas las criaturas. Es la comunidad del Reino, llamada a proclamar el evangelio del Reino a toda criatura.[18]

Es cierto que, en la actualidad, teólogos de todas las confesiones se han dado a la tarea de «redescubrir» el tema del Reino de Dios. No obstante, el tema no ha impactado lo suficiente en la mayoría de las iglesias cristianas. Todavía no se toma en

---

[16] Juan Driver, *Pueblo a imagen de Dios ... : hacia una visión bíblica*, CLARA-SEMILLA, Bogotá, 1991, p. 181.

[17] Véase Donald B. Kraybill, *El reino al revés*, Ediciones SEMILLA, Ciudad de Guatemala, 1995.

[18] Véase Juan Driver, *Imágenes de una iglesia en misión*, Ediciones SE-MILLA, Ciudad de Guatemala, 1998, pp. 61-69.

serio que por medio de Jesucristo y su comunidad, el Reino se manifiesta en la tierra hoy. Jesús vino y anunció que el Reino está aquí en nuestro medio. La realidad del Reino ahora no nos ha impactado lo suficiente y es por ello que nuestra práctica eclesial deja mucho que desear.

Juan Driver nos advierte:

> Debemos resistir la tentación de identificar a la iglesia con el Reino de Dios, como tradicionalmente se ha hecho en el catolicismo ... también debemos resistir la tentación de separar tajantemente a la iglesia del Reino de Dios, como lo hacen algunas interpretaciones protestantes, tales como el dispensacionalismo tradicional ... [Porque] según esta tradición el Reino de Dios proclamado por Jesús era una cosa y la iglesia, cuando surgió, era una realidad totalmente distinta ... La iglesia en sí no es el Reino de Dios. Es más bien la comunidad al servicio del Reino. Es la comunidad que anticipa el Reino. Es la comunidad encargada con la continuidad de la misión mesiánica en el mismo Espíritu y con la misma estrategia ya trazada por el Mesías. Es la comunidad en la que los signos del Reino se manifiestan con mayor claridad.[19]

Esto significa que los pensamientos y los modos de la iglesia ¡tienen que distinguirse sustancialmente de todas las instituciones humanas! Es la voluntaria decisión de los creyentes de conformarse en una comunidad mesiánica que participa de la misión de Jesús en el mundo, sometida al Espíritu y a los mandamientos y enseñanzas de Jesús.

Ver la eclesiología radical con nuestros ojos y palparla con nuestras manos

Entonces, ¿qué es la iglesia? Como dice Driver, «la Biblia no nos ofrece una definición concisa de la iglesia. Más bien nos dibuja una serie de imágenes complementarias del pueblo de Dios. (En realidad el "pueblo de Dios" es una de las principales imá-

---

[19] *Ibíd.*, pp. 68, 69. Citas en orden alternado.

genes de la Biblia.)»[20] Es importantísimo destacar la experiencia comunitaria de ser pueblo de Dios. Driver nos alerta acerca de los peligros que conllevan el individualismo y el institucionalismo. El primero presenta «un sentido exagerado de importancia y responsabilidad personales, que pierde de vista las dimensiones fraternales de vida en la familia de Dios», mientras que el segundo le da más importancia a «las formas colectivas que a las personas como tales».[21] Por cierto, casi todas las eclesiologías evangélicas dan cabida a estas formas y, como señala Driver, no se trata de «la supresión de las iniciativas personales, ni del desmantelamiento de las estructuras sociales. Es cuestión, más bien, de ordenarlos a ambos de acuerdo con la naturaleza fundamentalmente familiar y comunitaria del pueblo de Dios. [Ahí] hermanos y hermanas están sujetos "unos a otros en el temor de Dios" (Ef 5.21)».[22]

El libro *Imágenes de una iglesia en misión* nos ayuda a ver que en el Nuevo Testamento hay una serie de imágenes que no sólo sirven para comunicar la autocomprensión de la iglesia. También son instrumentos poderosos para la creación de un sentido de identidad y misión más acorde con su razón de ser.[23] Driver nos presenta varias imágenes de las cuales destaco el camino, los forasteros, los pobres y la familia de Dios. Porque el camino era reclamar «el derecho de ser reconocida como la comunidad en que el camino de Dios se halla con mayor plenitud». La imagen de los forasteros implica que «el evangelio del Reino puede ser compartido con autenticidad únicamente por aquellos que son ciudadanos del Reino de Dios. Y esto implica que el mundo nos tenga por forasteros y extranjeros ... se precisa una comunidad que es extraña al sistema dominante para comunicar el evangelio que resulta ser verdaderamente salvífico». La imagen de los pobres nos conduce a asumir una identidad como

---

[20] *Ibíd.*, p. 9.

[21] Driver, *op. cit.*, 1991, pp. 165, 166.

[22] *Ibíd.*, p. 166.

[23] Driver, *op. cit.*, 1998, p. 9.

«los pobres» y como la iglesia que anuncia buenas nuevas «a los pobres». Son dimensiones relacionadas fundamentalmente con la misión cristiana: «Dondequiera que la iglesia haya sido seducida por las tentaciones del poder, el prestigio y la propiedad, ya no puede comunicar con integridad el evangelio del Reino en su plenitud.»[24] Porque anunciar las «buenas nuevas a los pobres» es muchísimo más que la realización de obras caritativas; es el anuncio en palabras y hechos de un poder transformador de consecuencias sociales. La ética del Reino de Dios propone novedad de vida, justicia social y económica, paz, perdón y reconciliación, ¡cielo nuevo y tierra nueva! Pues la iglesia ha sido llamada por Dios a servir, no a dominar. Esto quiere decir también que la iglesia, la comunidad del Espíritu Santo, no tiene una «opción preferencial por los pobres», pero tampoco tiene al estilo de la teología de la prosperidad una «opción preferencial por los ricos», sino más bien ¡por toda la humanidad!

Aquí se presenta uno de los temas más espinosos para el corazón de los cristianos: lo económico. Tenemos una cultura de diezmar y ofrendar sin que «los pobres y necesitados» sean prioridad, de hacerlo mínimamente para extender nuestra solidaridad a los demás. Pero Driver nos recuerda que la salvación es abarcadora, no sólo una experiencia mística individual, sino toda una experiencia social, pues se trata de una vida comprartida en todos los niveles de convivencia humana: social, espiritual y económico.[25]

Porque «a raíz de la obra del Espíritu en Pentecostés, la naciente iglesia toma la forma ... de vida compartida. Donde el evangelio de paz es oído y obedecido, el Espíritu Santo crea una nueva comunidad caracterizada por una profunda preocupación mutua y una apertura de unos para con otros. En Hechos 4.32 se descubren dos espíritus muy distintos que están en conflicto. Uno es el espíritu egoísta («suyo propio»), lo propio, el individualismo, lo privado; es fundamentalmente idólatra. El concepto

---

[24] *Ibíd.*, p. 57.
[25] Juan Driver, *El evangelio: mensaje de paz*, Ediciones SEMILLA, Ciudad de Guatemala, 1997, p. 38.

de propiedad privada es ajeno al espíritu de *shalom*. El otro espíritu es el de la comunión. En esta comunidad de paz, el individuo halla una realización más plena.[26] En otra parte, Driver nos recuerda que «estos textos (Hch 2.45 y 4.34) significan … compromiso económico ilimitado y sin condiciones, y responsabilidad financiera total para los hermanos y hermanas en el contexto de la comunidad cristiana. Esto es amar en el sentido bíblico».[27]

Las relaciones entre nosotros han cambiado sustancialmente. Relaciones de género y profesión, de posición social y académica, no deben poner barreras a la existencia de la iglesia. Desafortunadamente los grupos evangélicos se pueden clasificar fácilmente de acuerdo al grupo socioeconómico al que pertenecen. En mi ciudad, los carismáticos de las megaiglesias tienen, sin duda, «una opción preferencial por los ricos, pudientes y educados», mientras que los pentecostales hacen la obra en los barrios marginales, entre los pobres sociales. Y ni uno ni otro se siente a gusto en el espacio del otro o en sus cultos. Aquí afirmo que el iglecrecimiento ha sido muy responsable de esto, al convencernos de lo «sabio y prudente» que es conformar iglesias homogéneas.

En contraste, en la comunidad del Espíritu,

> las diferencias y las barreras que separan a los hombres son superadas: nacionalismos … racismos, prejuicios basados en diferencias de sexo, espíritu de competitividad económica, diferencias culturales, religiosas y sociales que contribuyen a actitudes de superioridad de parte de unos y de inferioridad de parte de otros.»[28]

> La acción del Espíritu otorga a los individuos una nueva dignidad, precisamente, debido a su participación en su comunidad … la venida del Espíritu hace posible superar todas las antiguas distinciones que separan a las personas: clase,

---

[26] *Ibíd.*, p. 39.
[27] Driver, *op. cit.*, 1991, p. 143.
[28] Driver, *op. cit.*, 1997, p. 30.

sexo, edad ... todo esto es posible únicamente en la nueva comunidad del Espíritu.[29]

Debemos reconocer que la eclesiología radical no es exclusiva de las iglesias anabautistas menonitas o menonitas anabautistas, pues ya afirmé que muchas de estas iglesias se han pentecostalizado o carismatizado. Por otra parte, habrá combinaciones de todo tipo, iglesias que son muy radicales en algunos asuntos e iglesias de creyentes que han dejado de serlo. Con todo, encontraremos en el mundo muchísimas iglesias que ignoran incluso que hubo una reforma radical, pero que por su entendimiento del Nuevo Testamento se han apartado de las eclesiologías tradicionales.[30]

Conclusión

Si bien es cierto que muchas de las iglesias de creyentes (anabautistas, menonitas, Hermanos en Cristo y otras) se han «protestantizado», lo cual puede verse fácilmente en sus modos de organización eclesial de estructuras verticales y una clericalización de los ministerios, también es cierto que el ideal de la práctica de una eclesiología radical continúa vigente en la vida de muchas comunidades de fe.

Por cierto, no es sencillo optar por la reforma radical de la iglesia. El entendimiento de nuestra posición ante Dios, nuestra decisión voluntaria de participar en la comunidad de creyentes, y nuestra actitud hacia el mundo y sus estructuras requieren de una acción firme de identificación con la vida y obra de Jesús, adoptando, desde luego, su estilo de vida, pues «quien no toma su cruz ... »

En la actualidad «resulta más beneficioso para el avance del cristianismo» (herodianismo) buscar una buena posición ante el estado (y en algunos casos hasta caer en el amasiato), optar por el corporativismo religioso creando nuestro propio clero; adop-

---

[29] Driver, *op. cit.*, 1991, p. 148.

[30] Yo me convertí en una iglesia de doctrina fuertemente calvinista, pero de prácticas eclesiales radicales ¡y no lo sabíamos!

tar, las técnicas de la mercadotecnia para «la salvación del mundo», y ser pragmáticos y utilitaristas en las formas de ser iglesia. (Algunos dirían que esto es «contextualización», pero yo diría que es acomodarse a las modas y a los modos religiosos actuales.)

No obstante, siguen existiendo disidentes. Sigue habiendo comunidades de fe donde la regla de Cristo impera, donde el compromiso de servicio y amor hacia los demás es estilo de vida por excelencia. En esas comunidades, la vida y obra de Cristo son el camino a seguir y ahí se comprueba la premisa de que «sin comunidad no hay amor genuino».

A 475 años del surgimiento de la Reforma Radical, ya no es posible repetir las vivencias de los primeros anabautistas. El mundo ha cambiado. Sin embargo, sigue siendo pertinente el mensaje de los radicales. Ahora mismo, cuando millones siguen viviendo en la premodernidad, las minorías cultas y acaudaladas ya hablan del fracaso de la posmodernidad y otros afirman que desde hace mucho vivimos en «la era poscristiana», atrevámonos a ser discípulos de Cristo, seguirlo en la vida, vivir el Reino de Dios aquí y ahora. Vivámoslo así, evangélicamente, sencillamente, en comunidades de fe donde el amor, la fe y la esperanza son norma y se comparten con los demás.

> Tres alternativas son explícitamente rechazadas en el evangelio: la familia biológica, la familia religiosa y la familia geográfica o política ... paradójicamente, en la nueva familia del pueblo restaurado de Dios encontramos de nuevo hermanos y hermanas, madres e hijos, pero no hay padres ...
> La dominación patriarcal, junto con sus símbolos, ha sido desplazada. En la nueva familia hay un solo Padre. Esta nueva familia es un signo del Reino de Dios que ha llegado.[31]

---

[31] Driver, *op. cit.*, 1998, pp. 102-103.

5

EL LUGAR DEL ESPÍRITU SANTO EN LA VIDA
DE LAS COMUNIDADES ANABAUTISTAS AYER Y HOY

Pedro Stuckey

A través de un paseo por el anabautismo del siglo 16, llevados de la mano de varios historiadores reconocidos —entre ellos nuestro hermano Juan Driver—, podemos apreciar algunas maneras en que los radicales religiosos del siglo 16 interactuaban con el Espíritu Santo en sus vidas y quehaceres. Tomando en cuenta la historia, daremos una mirada a posibles lecciones para aquellos que se consideran herederos de esta corriente.

El énfasis

Los radicales eran muy conscientes de que vivían en la era del Espíritu; que el Espíritu era el que los impulsaba y el único que podía producir los cambios que valían la pena en los individuos y la sociedad. Nuestra vida cristiana y la misión de la iglesia se adelantarán no sólo en la medida en que seamos hombres y mujeres capacitados y entregados sino principalmente en la medida en que seamos hombres y mujeres receptivos al actuar del Espíritu Santo en nuestras vidas y congregaciones, tomados, llenos, impulsados por el Espíritu. Me decía un pastor menonita: «En nuestra iglesia necesitamos personas inteligentes y personas carismáticas.» Sin esa conciencia y ese énfasis seremos como un carro de ocho cilindros funcionando sólo con dos.

La diversidad

En el seno de la Reforma Radical hubo una exuberante y rica diversidad de posiciones y prácticas en cuanto al Espíritu Santo. Aprendiendo de los reformadores radicales, debemos no sólo aceptar sino celebrar entre nosotros la variedad de manifestaciones a la que nos conduce el Espíritu en nuestras iglesias. En vez de ser una amenaza, la diversidad es saludable. Indudablemente, la gran mayoría de expresiones son válidas y no llegan a exageraciones dañinas. Más bien prueban que el Espíritu se adapta e interactúa con cada cultura y necesidad dando pie a que emerjan formas autóctonas que respondan a las idiosincrasias y preferencias locales. Otra cosa es que sean o no de nuestro agrado particular. Para evitar excesos no es necesario buscar la conformidad y la uniformidad. Además, a Dios siempre le ha gustado la diversidad y se aburriría si todo fuera lo mismo.

La interpretación de la Palabra

Las Escrituras siempre tienen algo para decirnos a nosotros y a nuestras congregaciones con tal que sea el Espíritu Santo el que lo revele en cada situación. Necesitamos una exégesis seria e inteligente, pero también, lo que a veces se llama la «unción» del Espíritu en nuestra preparación y presentación. Para no descarriarnos con interpretaciones simplistas o extremos que causen daño, nos es preciso someternos al consejo de nuestros hermanos en la fe, ya sea a nivel local o regional, donde el Espíritu presida esos procesos de discernimiento.

La concordancia entre lo interno y lo externo

Los anabautistas insistieron en que la coherencia entre la obra interna del Espíritu y sus manifestaciones externas era imprescindible. Jesús lo dijo de otro modo: «Por sus frutos los conoceréis.» La diversidad está bien, pero ninguna pretensión de poseer el Espíritu que no vaya acompañada por los frutos de humildad, sumisión, sinceridad, apertura, respeto y muchos más a nivel personal, va a convencer.

Por otro lado, a nivel institucional se corre el peligro que las tradiciones o prácticas eclesiales puedan seguir ejerciéndose sin que esté presente una convicción real ni sean movidas por la gracia de Dios. Además, la preocupación por la concordancia exige que nuestras estructuras y nuestras prácticas eclesiales reflejen una coherencia con lo que estamos enseñando. Las metas eclesiales o institucionales, así sean buenas, no justifican cualquier práctica sino la que tome en cuenta el respeto por las personas y las prioridades de la misión de Jesús.

La prueba del servicio

Una espiritualidad que no se manifieste en el servicio a los demás no viene de Dios, según Pilgram Marpeck. Hay que admitir que el servicio se puede dar de muchas maneras y en esto precisamos una visión amplia y respeto del uno por el otro. Hay diferentes momentos y etapas en la vida de los creyentes y las congregaciones que es preciso reconocer. Debemos estar en conversación el uno con el otro para tratar de crecer en nuestra comprensión de lo que constituye servicio para el otro y cómo podemos complementarnos en lugar de atacarnos. Pero indudablemente las supuestas expresiones del Espíritu que se enfrascan en sí mismas, como un fin en sí mismas, como un ejercicio de narcisismo, desprovistas del ingrediente del servicio al prójimo y a la comunidad en derredor, no vienen del Espíritu Santo.

Formarnos a imagen de Cristo

Para los anabautistas, la salvación no consistía sólo en una justificación ante Dios, sino que la obra del Espíritu en el creyente era ayudarlo a llegar a ser como Cristo. Esta pedagogía del Espíritu es hoy muy urgente en la vida no sólo de todos los cristianos sino especialmente en aquellos que son dirigentes, los que tienen cargos de responsabilidad, los que deben dar ejemplo en la comunidad de fe. La formación a la imagen de Cristo producirá líderes cada vez más dóciles a la acción de Dios, hombres y mujeres mansos que prefieren sufrir y soportar malentendidos y calumnias que causarlos, que en vez de figurar y ostentar desean facilitar que otros surjan y tengan oportunidades, y que cada vez asumen más la vocación de esclavo o siervo.

No es infrecuente que en pro de alguna meta o de la eficiencia institucional estemos dispuestos a sacrificar procesos participativos de comunicación o decisión; que veamos a los dirigentes maltratar a las personas a su cargo en vez de pastorearlas. Pero los anabautistas entendían que sobre todo está el amor, y sin practicar ese mandamiento de Cristo, todo lo demás es vano.

Ejes fundamentales para la vida práctica

Hay algunos ejes fundamentales sobre los cuales debemos insistir y enseñar puesto que no sólo nos identifican como anabautistas sino que creemos que son manifestaciones de la presencia del Espíritu en la vida del creyente y de la congregación. Estas características tienen que ver con la esencia de la vida cristiana, así haya diversidad en otras expresiones. ¿Cuáles serían algunos de estos ejes fundamentales?

1. Jesús como clave para interpretar las Escrituras y norma para nuestro comportamiento. Compromiso claro con la ética cristiana, es decir, el comportamiento del cristiano a la manera de Jesús. Disposición al discipulado cristiano para ser formados a la imagen de Cristo.

2. La congregación local como cuerpo visible del Señor al cual cada creyente pertenece y se sujeta. Procesos congregacionales de discernimiento e interpretación de las Escrituras y de la voluntad de Dios. Procesos congregacionales de decisión y rendición de cuentas el uno al otro.

3. Un liderazgo no autoritario ni impuesto ni absolutista, sino caracterizado por su mansedumbre y humildad, por someterse a los hermanos y hermanas así como éstos se someten a sus líderes. Una disposición de aceptar los aportes y críticas de los demás, de trabajar con otros, de sufrir si es preciso y no causar sufrimiento.

4. El amor sufriente por el prójimo rompiendo con esquemas de intimidación, violencia, militarismo y coerción. Un compromiso inequívoco con la justicia en todos los niveles.

5. Un estilo de vida sencillo, compartido, comunitario, abierto, que se entrega por los pobres, los marginados y los excluidos de la sociedad, así como lo hizo Jesús.

6. Esfuerzos de unidad con todas las congregaciones y respeto por las mismas, evitando el aislamiento y la imposición de criterios. La apertura ecuménica, es decir al resto del Cuerpo del Señor, sin posturas absolutistas ni cerradas, reconociendo que la verdad la tenemos que encontrar juntos.

7. Aprecio y respeto por el estudio serio y la preparación intelectual, además de otras formas de capacitación, reconociendo que se necesitan líderes inteligentes que también sean líderes de poder espiritual.

Evidentemente el problema no es que haya o no manifestaciones pentecostales o sobrenaturales en nuestras iglesias. El problema surge cuando existe polarización excluyente; cuando se enfatizan manifestaciones pentecostales pero no otros aspectos del evangelio importantes para los anabautistas como los que enumeramos arriba. El problema, por otra parte, se da cuando existen prácticas éticas correctas pero ejercidas como «letra muerta» y se tiene prevención o temor a otras manifestaciones menos racionales.

La polarización por el lado de lo pentecostal se daría cuando no se enfatizan asuntos como la paz, el amor a los enemigos, la justicia social, los derechos humanos y el servicio cristiano por el bienestar físico de los necesitados; cuando se asumen posiciones verticales, autoritarias excluyentes, y por qué no decirlo, arrogantes en el liderazgo; cuando no se respeta la palabra, la participación y la autoridad de la congregación; cuando se desvaloriza la responsabilidad humana «pasándole la bola» sólo a Dios o al diablo; cuando no se ve interés en la unidad con el resto del cuerpo, por ejemplo en asistencia, apoyo y colaboración con los programas que son importantes para la iglesia mayor; cuando se piensa que la unidad es la uniformidad y no se tolera la diversidad; cuando se asumen posiciones anti-intelectuales y en contra del estudio y el diálogo en torno a diferencias teológicas y bíblicas.

La polarización por el lado de lo ético o racional se da cuando el comportamiento está en orden pero no hay una búsqueda acuciante del poder de Dios en oración ni se advierte una dependencia del Espíritu para el quehacer personal y congregacional; cuando no se abren espacios para que el Espíritu actúe y hable en nuestras congregaciones ni se anima a los fieles a buscar los dones sobrenaturales del Espíritu ni se da importancia ni lugar a la práctica de los mismos cuando sí están presentes; cuando lo preestablecido y lo tradicional llegan a ser más significativos que la posibilidad de nuevos modelos o direcciones que Dios nos puede estar indicando.

El Espíritu en la realidad social

«El Reino de Dios está entre ustedes», les dijo Jesús a los que indagaban en cuanto a la venida del Reino. Los radicales vivían intensamente, inmersos en su época y en su realidad social, económica y política. Todo el tiempo se estaban metiendo en disputas y debates con las autoridades civiles y eclesiásticas sobre puntos que afectaban no sólo la vida religiosa sino la sociedad civil. No se conformaron con hacer llamados proféticos de atención sino que actuaron con valor y arrojo ya sea intentando cambiar una situación, no cooperando o creando modos de vida comunitarios alternativos.

Esa capacidad de leer los tiempos y el movimiento del Espíritu en los acontecimientos para luego insertarse en esa corriente es la que, a través de la historia, siempre ha llevado a hombres y mujeres insospechados a sobresalir con hombros y cabezas sobre los demás ya sea porque como tea ardiente iluminan la oscuridad antes de consumirse o porque con paciencia y perseverancia entregan sus vidas para acercar la vida humana sobre la tierra a esa voluntad del Padre, perfecta pero aún no realizada.

Si nos mantenemos en esa dirección estaremos siendo fieles al Espíritu de Dios que también actúa en nuestros tiempos y busca hombres, mujeres e iglesias que respondan a su época de una manera consecuente y oportuna. También estaremos aprendiendo del ejemplo de los radicales del siglo 16 que con una asombrosa claridad criticaron lo que había para intentar construir algo nuevo y mejor. Su época no fue digna de ellos. Como los héroes de la fe de Hebreos 11, también vivieron como peregrinos y advenedizos esperando una ciudad nueva cimentada en Dios y la saludaron de lejos como a una realidad que habría de venir. A ellos hoy, también de lejos, queremos saludar y rendirles este pequeño homenaje.

6

LA COMUNIDAD DE FE
Y LA RENOVACIÓN DE LA IGLESIA

Fernando Pérez Ventura

Introducción

El título refleja un tema que es una necesidad presente de la iglesia en México, donde, desde mi punto de vista, vivimos en constante necesidad de una renovación eclesial que nos motive a continuar con la búsqueda que caracterizó a los escritos de Juan Driver. Durante décadas y dentro de su experiencia e investigación histórica y teológica, Driver escribió varios libros profundos y desafiantes referentes al tema. En circunstancias y contextos diferentes, sus escritos constituyen un largo peregrinaje espiritual e intelectual de parte de una persona que dedicó su vida al servicio del Reino de Dios. Estos humildes apuntes son un reconocimiento a un hermano que, como maestro y seguidor de Jesús, por sus propios escritos, ha tenido mucha influencia en muchos cristianos en el mundo.

Aunque el profesor Juan Driver tuvo varios acercamientos al desarrollo del cristianismo desde diferentes puntos de vista (eclesiológico, histórico, teológico, etc.), sus análisis desde la perspectiva bíblica, la visión anabautista y una práctica radical comunitaria nos motivan precisamente a compartir en estas páginas nuestra percepción anabautista de la iglesia en mi país.

Contexto social actual en México

La situación político-electoral del país (estamos en el mes de mayo de 2006) va desde el ataque verbal violento de los candidatos a la presidencia hasta la violencia física (los mineros en Coahuila, Michoacán y los campesinos de San Salvador Atenco, Estado de México) en vísperas de manifestar el voto ciudadano. La situación con respecto a los derechos humanos en estos acontecimientos es indicadora de la ausencia de voluntad política para respetarlos. La iglesia protestante en general, incluidos los anabautistas, sin alzar la voz ni decir palabra alguna que refleje el mensaje o la orientación que ofrece el evangelio al respecto, deja un vacío importante en nuestra realidad. Los acontecimientos mencionados más arriba son un preámbulo de la línea que va a seguir el nuevo gobierno y que el presidente Fox ha estado promoviendo en su candidato Felipe Calderón: más de lo mismo, sin que la iglesia diga nada. Ha sido el sexenio en el cual el país ha sumado más pobres y no vemos por ningún lado las propuestas de campaña para resolver este problema. Al respecto, surge la pregunta de cuál debe ser la propuesta o la misión de la iglesia frente a esta realidad. A continuación y por restricciones de espacio sólo enunciaré los aspectos que han incidido en el comportamiento de la Iglesia Cristiana en México.

Contexto religioso actual

El surgimiento de una iglesia electrónica. En algunos países, como por ejemplo Costa Rica y la cadena Enlace, se ha formado un red de congregaciones y pastores que han sido educados con base en principios e información con los que, estemos o no de acuerdo, se ha creado un modelo magisterial importante que ha resultado en un modelo nuevo de ser iglesia.

En México, la Iglesia Universal del Reino de Dios («Pare de sufrir»), por ejemplo, a través de la vendimia de toda una serie de símbolos religiosos, creó la industria económica más añorada por los líderes religiosos del país. Así también surge una forma de ser iglesia satelital con un modelo de interpretación bíblica ajeno a los múltiples desafíos que la sociedad en su conjunto nos demanda. Cabe mencionar que todo aquel que esté en contra estará a unos pasos del infierno. El sueño compulsivo de crear megaiglesias a costa de lo que sea tiene su justificación en el cliché evangélico que afirma que lo único que nos debe preocupar es que Jesús sea conocido, sin importar cómo lo presentemos; lo importante es predicar el evangelio.

Se deja de lado la concepción bíblica de la vida comunitaria adoptando la masificación de las relaciones interpersonales y, lo que es más problemático, la labor pastoral personalizada. Esto crea la egomanía, o sea, líderes amadores de sí mismos por lo que obtienen. Es decir, las iglesias verdaderas son las grandes. Este modelo eclesial pone a las iglesias pequeñas en la gran tentación de parecerse cada vez más a aquellas. Sin embargo, de cara a las demandas actuales y a las exigencias bíblicas, a mi juicio, el mensaje cristiano que ofrecen las megaiglesias es irrelevante. Como dice Arturo Piedra: «Las iglesias evangélicas están cayendo en la trampa de hacer del crecimiento lo mismo que los medios de comunicación secular hacen del *rating*, es decir, algo que hay que mantener a toda costa, aunque ello signifique desvalorizar el discipulado.»[32]

La adopción del modelo eclesial neopentecostal (carismático) pone en crisis los modelos tradicionales creando modelos renovados. Sin embargo, han terminado creando modelos pastorales jerárquicos y autoritarios, con énfasis en el culto *show*, es decir, un culto de entretenimiento que está siendo adoptado hasta por las iglesias pequeñas. Mediante la inclusión de profesionales de la música se ha enfatizado un culto donde la predicación es un elemento más y no el más importante. Son paradigmas que ponen en crisis el modelo eclesial que el anabautismo busca construir. Sin embargo, las nuevas generaciones no están dispuestas a continuar con un culto que ven poco atractivo y muy aburrido, aunque los cantos sean del estrellato evangélico. Esto nos llama a una seria reflexión: No podemos permitir que la iglesia sea un espacio más de entretenimiento (como los *talk show* de la televisión) con pastores y líderes de alabanza que actúan como meros animadores para crear un buen ambiente y nada más. No debemos permitir caer en un culto *light*. En cambio, es preciso discernir el aporte bíblico para nuestra realidad histórica.

---

[32] Arturo Piedra, Sidney Rooy y H. Fernando Bullón, *¿Hacia dónde va el protestantismo? Herencia y perspectiva en América Latina*, Ediciones Kairós, Buenos Aires, 2003, p. 16.

La vida comunitaria

La vida en comunidad es un tema pertinente en este contexto social y eclesial. Creo que la iglesia es el espacio donde la cultura contracorriente debe florecer para asimilarla a la sociedad. Si como cristianos asumiéramos el evangelio de manera radical, los diferentes aspectos antes mencionados perderían vigencia. Es decir, los radicales tenemos toda una historia y una herencia teológica referente a nuestro caminar y misión. Si entendemos y aceptamos la doctrina del sacerdocio universal, entonces nuestras comunidades de fe asumirían un modelo eclesial más comunitario y menos jerárquico y autoritario. Juan Driver dice:

> En esta comunidad todos somos sacerdotes, los unos de los otros. En esta comunidad cobran pleno sentido las exhortaciones a confesarnos mutuamente nuestros pecados; orar los unos por los otros; someternos los unos a los otros; amarnos los unos a los otros; y pronunciar palabras de perdón los unos a los otros, en el nombre de Dios.[33]

El discipulado, aspecto importante en la vida comunitaria, no se agota sólo en clases de pizarrón, sino al seguir a Jesús, al enseñar a Jesús para la vida cotidiana.

> El discipulado no es una técnica para asegurar el desarrollo saludable de la congregación cristiana. Tampoco es un programa que asegure el éxito en la vida cristiana, por importantes que estas preocupaciones sean. Seguir las pisadas de Jesús es un privilegio y un compromiso. El ejemplo que nos ha dejado es el del sufrimiento vicario (1P 2.21).[34]

Si la iglesia asume el compromiso evangelizador como parte de su misión, vamos por buen camino. Sin embargo, si alcanzar a las masas es el punto clave y principal, estamos errando la verdad bíblica. Driver dice:

---

[33] Juan Driver, *Contra corriente: ensayos sobre eclesiología radical*, Ediciones SEMILLA, Ciudad de Guatemala, 1998.

[34] *Ibíd.*, p. 104.

Tenemos que reconocer la importancia de la objetividad en nuestra autoevaluación, sobre todo cuando los números que usamos representan a personas concretas. Sin embargo, la tentación de evaluar la fidelidad de la iglesia en términos de crecimiento numérico puede resultar equívoca. Debemos recordar que en este mundo caído la verdad es, muchas veces, crucificada, lo que debe alertarnos contra una evaluación fácil de la misión evangelizadora de la iglesia, simplemente en términos de números como indicadores de éxito.[35]

Lo dicho anteriormente muestra cómo debemos estar vigilantes ante lo engañoso que en estos tiempos se nos propone. Es necesario estimular el crecimiento y la misión integral de la iglesia pero no a costa de lo que la Palabra de Dios establece, ni a costa de lo que él, Jesús, nos ha enseñado en su evangelio, es decir, no a cualquier precio.

El hecho de tener hermanos entregados a este ministerio de vigilar y orientarnos a través de sus escritos es un don del Señor para su iglesia. Vaya nuestro reconocimiento a Juan Driver.

---

[35] *Ibíd.*, p. 106.

Historiografía
periférica

7

HISTORIOGRAFÍA NACIONAL, IDENTIDAD, CULTURA DE VIOLENCIA Y TEOLOGÍA DE PAZ*

Alfred Neufeld

Introducción: historia y poder

«Los que cuentan la historia sostienen el poder en la sociedad.» Esta observación popular no ha sido adecuadamente priorizada en la reflexión teológica y en el testimonio de reconciliación que la iglesia le debe al mundo. La historia provee *identidad* a comunidades, grupos étnicos y naciones. Para justificar una *guerra* es necesario escribir previamente la historia de tal modo que quede claro quiénes son *amigos* y quiénes son *enemigos* y cuáles son las razones históricas que justifican desplazar al adversario.

Historia nacional, tema descuidado por las iglesias y la teología

A. Invertir la historia

En *La fe en la periferia de la historia*, Juan Driver escribe historia profética desde las perspectivas del evangelio:

> Las implicaciones de un evangelio mediado desde abajo y por medio de marginados raramente ha sido comprendido en una iglesia aliada, de una manera u otra, con el poder. El que Jesús haya venido como profeta, sacerdote y rey significa, a partir de la encarnación, que Jesús de Nazaret nos ha provisto del modelo definitivo para nuestro testimonio profé-

---

* Extracto de una ponencia preparada para la Consulta HPC, Seminario Teológico, Bienenberg, Suiza, del 25 al 29 de julio de 2001.

tico, para nuestra intercesión sacerdotal y para nuestro ejercicio del poder real.[36]

Enrique Dussel hasta afirma que algunos libros de texto de historias nacionales son genuinas *inversiones anticristianas*.[37]

B. La ausencia de las iglesias en las historiografías nacionales

La historiografía nacional como *inversión anticristiana*, que sirve para perpetuar odios históricos, es un tema que no ha sido adecuadamente priorizado en el trabajo teológico. Hoy quisiera proponer que debemos desarrollar más conciencia sobre el hecho que los contextos siempre son resultado de una historia. Es por eso que el testimonio de la iglesia no sólo debe dirigirse a los contextos contemporáneos, sino también a las fuerzas históricas que lo forjaron.

Por eso la iglesia necesita desarrollar una teología de la historia. Si la iglesia está ausente, pueden ocurrir hechos terribles y trágicos. Tal es el caso de las recientes rivalidades y violencias étnicas entre los hutu y los tutsi en Ruanda. A ambos lados había pastores evangélicos y sacerdotes católicos, quienes además de participar de la violencia, proveían una teología justificadora de la matanza.

La iglesia no puede asumir un rol profético testigo cuando carece de una teología de la historia. Corre el peligro de traicionar su lealtad a Cristo:

1. La causa de Cristo puede reducirse a los parámetros de una *religión tribal* cuyos ejes son: la territorialidad, la consanguinidad y la identidad étnica. El cristianismo ha recurrido varias veces a estos elementos para justificar el uso de la violencia.

---

[36] Juan Driver, *La fe en la periferia de la historia: una historia del pueblo cristiano desde la perspectiva de los movimientos de restauración y reforma radical*, Ediciones SEMILLA, Ciudad de Guatemala, 1997, p. 38.
[37] *Ibíd.*, prólogo.

2. El otro peligro es una *esquizofrenia intelectual.* La misma se produce cuando la iglesia no está presente y activa en la historiografía nacional o cuando no la integra a su reflexión teológica propia. Esto se observa en iglesias donde la bandera nacional ocupa un lugar prominente al lado de la Biblia y del púlpito, como también en instituciones educativas cristianas de nivel primario, secundario y universitario, en las cuales las áreas de estudios sociales, historia nacional e historia universal no son impactadas por una cosmovisión cristiana.

C. Violencia como mal endémico de una nación

Mi patria, el Paraguay, ha sufrido una historia muy violenta. Si bien es el único país de América Latina en el cual el idioma nativo, el guaraní, ha conquistado el estatus de idioma oficial, la destrucción de las reducciones jesuíticas, la Guerra Grande contra la Triple Alianza de Brasil, Argentina y Uruguay, los períodos de dictaduras y de anarquías, todos han dejado sus rastros de violencia.

Roa Bastos, nuestro más conocido novelista, trata a la violencia como un mal endémico en la historia del Paraguay.[38] Ha dedicado su trilogía de novelas *Hijo del Hombre*, *Yo el Supremo*, y *El Fiscal* a describir lo que él llama el «monoteísmo del poder».[39]

Ya muchos años antes, el escritor español Rafael Barrett escribe su libro *El dolor paraguayo.* También queda acongojado por la violencia como mal inerradicable: «Lo triste es que el poder envejece ... Tenemos soldados para defender a la patria, y principalmente para destrozarla de cuando en cuando ... O guerra, o tiranía. La paz no nos sirve. Dicho de otra manera: somos

---

[38] Rosalba Antúnez de Dendia, *Augusto Roa Bastos: una interpretación de su primera etapa narrativa,* Univ. Diss., Bonn, 1983, pp. 188-195.
[39] Augusto Roa Bastos, *El Fiscal*, Editorial Sudamericana, Buenos Aires, 1993, p. 9.

indignos de la paz.»[40] Llega a la conclusión que «es forzoso desinfectar la generación presente, y educar a la generación venidera en el alejamiento de la política y en el desprecio del po-. der».[41]

D. Historiografía para la violencia

El mal «endémico» de la violencia en el Paraguay se ha visto nutrido por la historiografía correspondiente. Después de la caída de la dictadura en 1989, la Academia Paraguaya para la Historia vio la necesidad de ayudar al Ministerio de Educación a reescribir los libros de texto usados en las escuelas públicas. Milda Rivarola, analista política e historiadora paraguaya, justifica dicho esfuerzo: «Esta reforma era tanto más imprescindible cuanto que la historia hace de madre de las ciencias humanas y su conocimiento tiene consecuencias trascendentales sobre el pensamiento y la práctica sociopolítica de la ciudadanía ... La filosofía de historia subyacente ... era *moralizante, nacionalista, etnocéntrica, sexista, centrada en episodios bélicos y obras gubernamentales.* El objetivo parecía centrarse en formar patriotas nacionalistas y soldados inflamados de patriótica belicosidad."[42]

Identidad étnica-nacional, identidad cristiana, identidad reconciliadora

El tema de la identidad ha sido redescubierto y explorado últimamente por teólogos que proceden de regiones sacudidas por conflictos étnicos y nacionalistas. Tal es el caso del croata

---

[40] Rafael Barrett, *El dolor paraguayo: mirando vivir*, Imprenta Salesiana, Asunción, 1988, p. 129.

[41] *Ibíd.*, p. 111.

[42] Milda Rivarola, «Enseñar historia desde una perspectiva no violenta», Exposición inaugural del Tercer Congreso Nacional de Educadores Cristianos, manuscrito no publicado, Asunción, octubre de 2000, p. 1.

Miroslav Volf,[43] como también del africano Kwame Bediako.[44] Hay un consenso amplio de que la *identidad* es un tema fundamental para la convivencia social, la conducta cívica, la cultura cotidiana, la seguridad personal y la sensación de pertenencia.

La primacía de la historia en el forjamiento de la identidad

¿Pero cómo surge la identidad? Cristoph Wiebe sostiene que la *historia* es una forjadora fundamental de identidad.[45] Según Wiebe, la identidad histórica debe ser condicionada y acompañada por reflexión teológica y análisis empírico de la realidad. Argumenta que la forma como contamos nuestra historia es la manera más adecuada de hablar de identidad.[46]

Identidad cristiana

La iglesia de Cristo se establece y crece en medio de identidades étnicas y nacionales. ¿Cuál debería ser la relación de la iglesia con la cultura que inhabita? Volf observa que los compromisos cristianos y los compromisos culturales a veces se fusionan. Inclusive se dan casos donde la identidad cultural adquiere «fuerzas religiosas» y la «sacralización de la identidad cultural» es cultivada por ambas partes en conflicto. Volf propone que la iglesia debe cultivar una relación apropiada entre la distancia de su cultura y la pertenencia a su cultura.[47]

Juan Driver sugiere que la iglesia cristiana debe considerarse más bien como «contra corriente», como sociedad alternativa y de contraste. La identidad cristiana y la praxis del pueblo de

---

[43] Miroslav Volf, *Exclusion and Embrace: A Theological Exploration of Identity, Otherness, and Reconciliation*, Abingdon Press, Nashville, 1996.

[44] Kwame Bediako, *Theology and Identity: The Impact of Culture upon Christian Thought in the Second Century and Modern Africa*, Regnum Books, Oxford, 1992.

[45] Christoph Wiebe, «Geschichte und Identitat», en *Brücke: Mennonitisches Gemeindeblatt*, abril de 1998, pp. 64-67.

[46] *Ibíd.*, p. 65.

[47] Volf, *op. cit.*, p. 37.

Dios deben tener sus raíces «en Jesús y en la comunidad mesiánica del primer siglo».[48]

Si resumimos la evidencia bíblica respecto a la construcción de la identidad cristiana, la oración sacerdotal de Jesús (Jn 17) es paradigmática: la iglesia es *una* por estar sumergida en la identidad del Hijo, que a su vez se identifica con el Padre (Juan 17, 21). El mundo cree en el envío del Hijo porque la identidad del Hijo es evidente en la vida de la iglesia (vv. 22, 23). La permanencia de la iglesia en la identidad de Cristo y la permanencia de Cristo en la identidad de la iglesia conducen a una vida eclesial fructífera (Jn 15.4-5).

Si la identidad cristiana está ligada a la persona de Cristo, esto tiene consecuencias para temas de *poder* y de *mentalidad.* Los seguidores de Cristo son llamados a tener «la mente de Cristo» (1Co 2.16). Tener la mente de Cristo es un fenómeno profundamente cultural, pues la cultura siempre tiene mucho que ver con «programación mental» o con el «mapa mental». Estar «en Cristo» es por otro lado algo corporativo, pues la iglesia es el «cuerpo de Cristo» (Ef 1.22-23), una nueva creación que surge de diversos pueblos (Ef 2.14).

Identidad reconciliadora

Identificada con la obra reconciliadora y recreadora de Cristo, es evidente que la identidad de la iglesia cristiana tiene que ser una identidad reconciliadora. La reconciliación se basa no solamente en la mente y obra de Cristo y en la pertenencia a su cuerpo, sino también en el hecho del triunfo de Cristo sobre los poderes (Ef 1.22 y Col 2.15-17). Esa identidad reconciliadora y unificadora de la iglesia tiene un fundamento trinitario.

El Espíritu Santo es un espíritu que cruza fronteras. La primera iglesia aprendió a cruzar barreras étnico-culturales cuando el Espíritu Santo se adelantó a los discípulos. Hablar del Espíri-

---

[48] Juan Driver, *Contra corriente: ensayos sobre la eclesiología radical*, Ediciones SEMILLA, Ciudad de Guatemala, 1998, p. xxii.

tu Santo es hablar de una identidad transnacional y transcultural. El *Cuerpo de Cristo* es un organismo que no debe ser mutilado. La catolicidad de la iglesia como un solo cuerpo con muchos miembros «redimidos para Dios de todo linaje y lengua y pueblo y nación» (Ap 5.9), contiene intrínsecamente una identidad reconciliadora. La *paternidad de Dios Padre* forja fraternidad dentro de la familia cristiana. En la lista de elementos unificadores del cristianismo, «un *cuerpo*, un *espíritu*, una *esperanza*, un *Señor*, una *fe*, un *bautismo*», Pablo culmina diciendo: «un Dios y Padre de todos, el cual es sobre todos y por todos y en todos» (Ef 4.6). La hermandad entre cristianos no se debe a experiencias emotivas, a afinidad cultural, étnica o de simpatía, sino a la paternidad de Dios. El Padre nos hace hermanos y miembros de una familia. Y esto lo hace independientemente de identidades nacionales y étnicas.

La misión profético-testimonial de la iglesia frente a la historiografía que construye identidad étnica-nacional

Históricamente la iglesia ha sido débil al testificar contra las «inversiones anticristianas» (Dussel) de la historiografía secular. No así en tiempos bíblicos.

A. Posturas críticas frente a la historia en tiempos bíblicos

Elmer Martens ha señalado que, en el Antiguo Testamento, el mundo amplio de las naciones y sus pecados históricos siempre han estado presentes y han sido denunciados por los portavoces divinos (Is 13-23, Jer 46-51, Ez 25-32). Las naciones son responsables ante Dios por sus transgresiones contra principios humanitarios generales.[49]

---

[49] Elmer A. Martens, «Jeremiah's 'Lord of Hosts' and a Theology of Mission», en *Bilnaz und Plan: Mission an der Schwelle zum Dritten Jahrtaus-*

En el Nuevo Testamento la iglesia es exhortada a no dejarse esclavizar por tradiciones costumbristas, «comida, bebida, días de fiesta, luna nueva» (Col 2.16), y debe distanciarse de prestar «atención a fábulas y genealogías interminables, que acarrean disputas» (1Ti 1.4). Aquí tenemos una clara referencia a un cultivo excluyente o hasta enemigo de identidades étnicas en la iglesia de Éfeso.

B. Intentos de lectura crítica de la historia desde la perspectiva no violenta en la tradición anabautista

Uno de los documentos más conmovedores de la temprana historia anabautista es el relato del interrogatorio y martirio de Miguel Sattler (1527). En el libelo acusatorio contra Miguel, el punto nueve reza: «Ha dicho que si los turcos invadieran el país no habría que ofrecerles resistencia y que, si las guerras fuesen justas, preferiría marchar contra los cristianos antes que contra los turcos; lo cual es muy grave.» En su defensa, Miguel responde: «Si llegaran los turcos no deberíamos ofrecerles resistencia. Porque está escrito: "No matarás." No debemos defendernos contra los turcos ... sino implorar a Dios en rigurosa oración, que asuma la defensa y la resistencia ... el turco es un verdadero turco y nada sabe de la fe cristiana ... Vosotros, en cambio, pretendéis ser cristianos ... y sois turcos en espíritu.»[50]

Los dos temas en los que más insiste el prominente teólogo anabautista John H. Yoder son por un lado el *constantinianismo* en la historia de la iglesia, y por otro lado las teorías históricas respecto a la *guerra justa*.[51] Tanto el constantinianismo como la guerra justa han sido ejes fundamentales en la historia de la supuesta civilización cristiana. Yoder hace estas críticas partien-

---

end, de Hans Kasdorf y Klaus Müller, eds., Verlag der Liebenzeller Mission, Bad Liebenzell, 1988, p. 92.

[50] John Howard Yoder, copilador, *Textos escogidos de la reforma radical*, traducción de Nélida de Machain y Ernesto Suárez Vilela, Editorial La Aurora, Buenos Aires, 1976, pp. 172-174.

[51] John Howard Yoder, *Karl Barth and the Problem of War*, Abingdon Press, Nashville, 1970 y *Nevertheless*, Scottdale, Herald Press, 1971.

do de la base de que la iglesia en medio de la sociedad es una
«nueva opción cultural». Esa opción cultural la distingue del
resto de la sociedad pues surge de una «obediencia radical para
la cual el resto de la sociedad no está preparada».[52]

Un esfuerzo actual de historiografía alternativa lo realiza
Juan Driver en *La fe en la periferia de la historia*. Driver relata la
historia de aquellos que conscientemente buscaron seguir a
Jesús, aunque eso los ubicó en la «periferia» de la historia y en
una identidad de «contracorriente» o si se quiere «contracultu-
ra». Escribe historia desde una perspectiva de renuncia al poder.

Esta historia «al revés» sólo ha sido escrita en parte. En su
versión positiva aparece en el relato de muchos ministerios de
reconciliación, de trabajos de paz o de identificación con necesitados y marginados. Por otro lado, en gran parte, la historia de
denuncias de «inversiones anticristianas» todavía se hace esperar.

C. Una «metateología de paz» frente a una «historia para la violencia»

¿Cuál debería ser el objetivo de una historiografía alternativa,
si muchas historias nacionales de hecho son «historias para la
violencia»? El mensaje de paz que la iglesia le debe al mundo
debe ser contextualizado según momentos históricos, identidades étnicas y nacionales y realidades culturales y geográficas.
Paul Hiebert ha señalado que las contextualizaciones específicas
del evangelio deben ser enmarcadas en lo que él llama una
«metateología». Para que la teología se relacione con la vida
cotidiana y pase más allá de ciertas afirmaciones mentales, la
comunidad hermenéutica debe contextualizar el evangelio. Pero
las contextualizaciones locales corren también el peligro de ser
ciegas a ciertas discrepancias de su cultura con el evangelio.
Hiebert habla no sólo de un «proceso metateológico», sino hasta

---

[52] John Howard Yoder, «How H. Richard Niebuhr Reasoned: A Critique of
"Christ and Culture"», en *Authentic Transformation*, de Glen Stassen, ed.,
Abingdon Press, Nashville, 1996, p. 75.

de una «teología supracultural».[53] Me parece evidente que un testimonio de paz frente a una «historiografía para la violencia» va a necesitar una «metateología de paz», aplicable a cualquier contexto cultural.

1. Esa teología va a tener que partir de una *visión adecuada de Dios*. Roa Bastos identifica la violencia como «mal endémico» y la atribuye al «monoteísmo del poder».[54] Una teología de paz hará bien en recordar la crítica que Jürgen Moltmann hace al concepto religioso del monoteísmo. Su tesis es que un «monoteísmo clerical» conduce a un monoteísmo político. Y del monoteísmo político al monoteísmo del poder hay muchas veces un solo paso.[55] Moltmann sostiene que para contrarrestar el «monoteísmo del poder» necesitamos redescubrir la dimensión social de la Trinidad: el trino Dios nos enseña lo que es vida humana en comunión y armonía.[56]

2. Una metateología de paz tiene que fundamentarse en la *presencia testificadora de la iglesia en el mundo*. David Bosch sostiene que la función testificadora de la iglesia, gracias a la encarnación de Cristo en la historia, debe tener su impacto en la historia secular.[57]

3. La presencia testificadora de la iglesia en el mundo debe apuntar hacia una *auténtica transformación*. La iglesia no va simplemente a aceptar o rechazar su entorno cultural, sino que va a discriminar los elementos rechazables de otros elementos aceptables apuntando hacia una auténtica transformación.[58]

---

[53] Paul G. Hiebert, «Metatheology: The Step Beyond Contextualization», en *Bilanz und Plan*, *op. cit.*, pp. 392-394.

[54] Roa Bastos, *op. cit.*, p. 9.

[55] Jürgen Moltmann, *Trinität und Reich Gottes: Zur Gotteslehre*, Kaiser Verlag, Munich, 1986, pp. 207-220.

[56] *Ibíd.*, p. 216.

[57] David J. Bosch, *Witness to the World*, John Knox Press, Atlanta, 1980, p. 70.

[58] Yoder, *op. cit.*, 1996, pp. 67-71.

4. La iglesia testificará frente a «historias para la violencia» desde una perspectiva de *santidad*. Santidad significa distanciamiento cultural a medida que lo exigen las lealtades hacia Dios y su proyecto, pero siempre se vive dentro de una identidad cultural étnica y nacional.

5. Esa iglesia debe ser una *iglesia caracterizada por la paz*. Andrea Lange lo ha resumido bien: «Renunciar a la violencia, la membresía voluntaria, la participación comprometida, servir y compartir, la celebración y acción a favor de la justicia.»[59] Este compromiso con la paz surge, según Lange, de la identidad apostólica de la iglesia que no debe entenderse como sucesión apostólica de cargos, sino sucesión del camino y la causa de Jesús.

El ministerio profético-testificador que una iglesia de paz le debe a la redacción de historias nacionales es precisamente éste: No sólo denunciar las historias de violencia y las que perpetúan la violencia, sino contar las historias que muestran caminos alternativos a través de los cuales se puede nutrir la esperanza.

---

[59] Andrea Lange, «Gott ist Liebe: Und woran erkennt man eine Friedenskirche?», en *Brücke: Mennnonitisches Gemeindeblatt*, marzo/abril de 2001: p. 5.

8

ENSEÑAR HISTORIA DE LA IGLESIA DESDE LA PERIFERIA
Juan Driver y los estudiantes latinos
del Seminario Teológico Fuller

Juan Francisco Martínez

Fue un gusto colaborar con Juan Driver en la publicación de libros durante mi tiempo como rector de SEMILLA. Siendo que el rector también era el editor general de Ediciones SEMILLA, tuve la oportunidad de darle seguimiento a muchas publicaciones. En particular disfruté acompañar la publicación de los libros escritos por Juan Driver. Juan me obligó a reflexionar de forma más cuidadosa sobre lo que significa ser anabautista en el mundo latino y latinoamericano hoy. Pero también fue agradable el proceso porque sabía que Juan Driver estaba teniendo una influencia amplia entre los anabautistas de habla hispana y también entre los llamados evangélicos radicales. Juan nunca escribió un *bestseller*, ni recibió regalías por los libros publicados en SEMILLA. Sin embargo, sus libros siguen teniendo amplio impacto.

La publicación de *La fe en la periferia de la historia: una historia del pueblo cristiano desde la perspectiva de los movimientos de restauración y reforma radical* fue un reto particular. Juan Driver estaba en Goshen, Indiana y viajaba ocasionalmente a Centroamérica para dar clases en SEMILLA. Raúl Serradell, quien fue el editor del libro, estaba en la Ciudad de México. El formateo lo hizo Ruth Higueros en Guatemala. Y la impresión se hizo con Buena Semilla en Colombia. Todo eso en un momento cuando en Guatemala todavía no se contaba con correo electrónico seguro y el servicio de correos de Guatemala no era consistente. No siempre fue fácil supervisar el proyecto. Pero, a pesar de unos pequeños errores, salió una obra muy útil para la historiografía eclesial en perspectiva anabautista.

Me ha tocado utilizar *La fe en la periferia de la historia* varias veces en contextos anabautistas, particularmente enseñando materias en SEMILLA. Ha sido una herramienta indispensable al enseñar materias de historia anabautista o historia de la iglesia. Pero recientemente tuve un nuevo reto como profesor en el Seminario Teológico Fuller. Me tocó enseñar una materia sobre historia de la iglesia primitiva para el programa en español del seminario. La mayoría de los estudiantes eran pentecostales o de iglesias libres. Pero aunque venían de movimientos de restauración y reforma sólo habían estudiado la historia de la iglesia de formas tradicionales. A lo largo del trimestre utilicé el libro para dar otra perspectiva a los sucesos de los primeros siglos de la iglesia. También invité a los estudiantes de esta institución no anabautista a leer el libro porque el argumento de Driver es indispensable para una nueva generación de pastores y líderes que estarán sirviendo a iglesias en una época posconstantiniana. Driver invitó a estudiantes de movimientos que comenzaron en la periferia a estudiar la historia de la iglesia desde otra óptica.

La fe en la periferia de la historia nos obliga a hacer preguntas fundamentales en cuanto a cómo leer la historia de la iglesia. Juan Driver afirma que «en la Biblia hay una visión particular de la historia de salvación que también debe ser tomada en cuenta para una elaboración de la historia posbíblica del pueblo de Dios».[60] Esto implica que necesitamos cuestionar todo el proceso común de leer la historia eclesiástica. Por lo general, las historias de la iglesia analizan las estructuras, los personajes y las polémicas eclesiales. Driver nos llama a un acercamiento misional, donde buscamos discernir lo que Dios está haciendo en su pueblo y a través del mismo en el mundo. Un acercamiento de este tipo cambia todo el proceso de investigación histórica.

En la lectura de Juan Driver, los sujetos de la historia eclesiástica son quienes forman el pueblo cristiano que se acerca a la historia para ver cómo Dios ha obrado y sigue obrando. El objetivo principal de la tarea es discernir e interpretar el obrar divino en medio de la realidad humana. Es por eso que a Driver

---

[60] Juan Driver, *La fe en la periferia de la historia: una historia del pueblo cristiano desde la perspectiva de los movimientos de restauración y reforma radical*, Ediciones SEMILLA, Ciudad de Guatemala, 1997, p. 27.

le interesan mucho más los movimientos de renovación y avivamiento que las estructuras eclesiales o las luchas doctrinales. Lo importante en esta perspectiva es analizar el proceso por medio del cual el pueblo de Dios buscar seguir siendo fiel al modelo bíblico. Driver no pone una religiosidad popular como contra peso de las doctrinas oficiales. Más bien, está buscando los momentos en que los cristianos, dentro y fuera de las estructuras establecidas, redescubren el mensaje bíblico y el poder divino en su vivencia como comunidades mesiánicas.

Lo primero que notaron los estudiantes de Fuller es que la historia eclesiástica comúnmente no toma en cuenta al pueblo, aunque éste fue sujeto de misión, particularmente durante los primeros siglos de la iglesia. Muchas veces fueron los esclavos y los obreros los que llevaron las buenas nuevas del evangelio a través del imperio romano. Pero ellos no sabían escribir ni discutir teología con los eruditos. Así que perdemos de vista que la extensión de la fe cristiana se debió en gran parte a estas personas anónimas que conocieron el poder de la nueva vida en Cristo Jesús y luego compartieron su experiencia con otras personas como ellas. Estas personas sencillas no escribieron ni epístolas ni apologías. No construyeron templos de adoración. Tampoco fueron parte de los primeros grandes debates de la fe cristiana. Sin embargo, el crecimiento de la iglesia primitiva se debe en gran parte a estos creyentes de la periferia que experimentaron el poder de Dios y contaron lo que Dios había hecho en sus vidas.

Una segunda cosa que notaron los estudiantes fue que varios de los personajes que comúnmente son renombrados en la historia eclesiástica vivieron en medio de tramas políticas y que varios de los grandes debates teológicos también tuvieron su intriga política. Los grandes teólogos y los grandes debates teológicos no sólo buscaban definir cuestiones teológicas, sino que también participaban de luchas de poder. En ocasiones uno se queda con la duda de quién ganó, si el más «bíblico» o el que tenía el poder del Estado detrás de sí.

Según Driver, aun el recuento de la historia de la iglesia ha sido utilizado con fines mezclados. «La memoria histórica de la iglesia ha sido fatalmente deformada y esta memoria ha servido más a los intereses de los poderes establecidos y sus instituciones que al pueblo cristiano como tal.»[61] Los estudiantes vieron un ejemplo claro de esto en la época primitiva. La *Historia eclesiástica* de Eusebio (siglo 4) repasa muchos de los acontecimientos de la iglesia primitiva, pero también pasa mucho tiempo glorificando al emperador Constantino.

Un tercer elemento crucial para estos estudiantes fue el uso del término «hereje». Se dieron cuenta de que ellos muchas veces se parecían más a los herejes que a los «ortodoxos». Particularmente después del siglo 4, muchos de los movimientos de renovación terminaron siendo perseguidos por ser herejes. Casi se hizo un chiste reconocer que la mayoría de los estudiantes, y el profesor, habríamos sido declarados anatema por algún concilio eclesiástico.

Driver también les ofrece a estos estudiantes de América Latina o del mundo latino estadounidense un cuarto elemento: la oportunidad de releer su propia historia cristiana desde otra óptica. Siendo que el cristianismo y el protestantismo en particular llegaron con el colonialismo o el neocolonialismo, muchas veces se ha contado la historia de las iglesias del mundo mayoritario sólo desde la perspectiva de los misioneros, ciudadanos de los países colonizadores. Como respuesta, algunos historiadores han adoptado una lectura poscolonial. Sin embargo, esa lectura nos puede llevar de la historia de las estructuras de los colonizadores a la historia de las estructuras de los colonizados. Driver invita a los lectores a ir más allá para poder ver cómo el pueblo de Dios se forma aun en medio de la opresión. Si hacemos una lectura «driveriana» del cristianismo en las iglesias del sur nos damos cuenta de que las iglesias han crecido más cuando han conocido el obrar divino entre ellas y no han dependido de las estructuras heredadas de los colonizadores.

Una quinta lección importante para los estudiantes apunta hacia el futuro. El mover divino en el mundo está tomando nuevas direcciones. ¿Cuál enfoque histórico tiene más para ofrecernos al mirar hacia el futuro: el tradicional o uno como el de Juan Driver? Al vernos al final de la época del cristianismo constantiniano parece claro que los movimientos cristianos que nos ofre-

---

[61] *Ibíd.*, p. 33.

cen matices para el futuro son aquellos que estuvieron al margen de la estructura oficial. Son los movimientos como los que analiza Driver en *La fe en la periferia de la historia* los que parecen ofrecer pautas y directrices para la iglesia en el siglo 21.

En el epílogo del libro, Driver menciona cuatro características comunes de los movimientos de renovación que él estudió. Dichas características ofrecen pautas importantes para las iglesias posconstantinianas. En primer lugar, todos los movimientos mostraron solidaridad con los marginados de la sociedad. Los movimientos de renovación muchas veces comenzaron entre los de la periferia o fue allí donde encontraron una audiencia dispuesta. Una segunda característica fue que los movimientos reconocieron que no debían depender del poder político. Algunos movimientos se desarrollaron al margen del poder político, mientras que otros optaron por apartarse del poder. En tercer lugar, estos movimientos tuvieron un sentido de vocación hacia la misión mesiánica. Algunos lo hicieron formando comunidades contraculturales. Otros orientaron sus esfuerzos hacia un testimonio de palabra y hecho. También hubo una disposición de comunicar el evangelio aunque les costara su libertad o la vida. La cuarta característica común a todos los movimientos de renovación es que han sido inspirados en una visión y expectativas bíblicas del Reino de Dios.[62]

Estas características serán cada día más importantes, particularmente para los cristianos que viven en el mundo no cristiano o en el mundo poscristiano. Los modelos eclesiales para el futuro no se encontrarán en las estructuras eclesiales del pasado, sino en los movimientos que redescubrieron el poder divino al margen del poder humano.

Las palabras proféticas de Juan Driver son un mensaje clave para las iglesias que no cuentan con poder humano pero han conocido la renovación que obra el poder divino.

Mediante un ultraje de violencia indescriptible, la iglesia, la comunidad ungida por Dios para continuar la misión de su Mesías en el mundo, ha sido prostituida, convirtiéndose en la cortesana del imperio. La historia de la salvación toma forma

---

[62] *Ibíd.*, pp. 293-294.

significativa precisamente en esos puntos donde el pueblo de Dios, participando fielmente con Él en su misión en el mundo, lucha contra el mal. El verdadero sentido de vocación misionera fue sacrificado en la síntesis constantiniana. En la medida que la iglesia ha descubierto de nuevo su memoria auténtica, también ha encontrado de nuevo su vocación esencialmente misionera como comunidad mesiánica. La historia del pueblo cristiano es esencialmente una historia de fidelidad misionera. En todos los movimientos de restauración radical, que trataremos a continuación, la imagen del testigo/mártir, tan importante en la historia bíblica, vuelve a inspirar a la iglesia con su poder.[63]

La mayoría de las iglesias protestantes latinas y latinoamericanas del día de hoy comenzaron en la periferia y siguen allí. Pero al ir creciendo en tamaño e influencia la tentación es querer irse hacia el centro a desarrollar estructuras de poder humano. El reto principal de Juan Driver a los pastores pentecostales de Los Ángeles, y a todos nosotros, es no perder de vista ni el lugar donde comenzamos ni el lugar de nuestra fuerza futura. Es en la periferia donde nos encontramos con Dios, allí, con los que sufren pero que también han aprendido a depender de Dios. Es allí donde nos encontramos con el Dios que está presente y sigue obrando en nuestro mundo. Allí en la periferia es donde nos unimos a la misión mesiánica.

Estoy agradecido a Juan Driver, quien nos ha ayudado a ver el pasado con otros ojos, nos invita a reconocer y celebrar las maneras en que Dios ha obrado a través de los siglos y nos llama a buscar en la periferia las señales del futuro obrar divino. Al comenzar el siglo 21 es claro que el futuro de la iglesia no está en las estructuras y las denominaciones, muchas de las cuales están en crisis, sino que depende de un pueblo fiel que recupere y siga en los caminos de Cristo Jesús. Es por eso que una lectura «driveriana» de la historia de la iglesia es crucial para los pastores latinos en Los Ángeles y para todos los que buscamos ser fieles al evangelio en un mundo posmoderno.

---

[63] *Ibíd.*, p. 32.

Leer la Biblia como discípulos comprometidos

9

LA BIBLIA Y EL PENSAMIENTO DE JUAN DRIVER

Dionisio Byler

Aunque nunca he tenido a Juan Driver como profesor, he leído sus libros y he tenido el privilegio de escucharle en una amplia diversidad de contextos desde hace más de 40 años. Junto con su amistad, me precio de reconocer la influencia que ha tenido sobre mí, influencia parecida a la de los demás teólogos y maestros menonitas de su generación.

El pensamiento de Driver es típicamente menonita en que su fundamento es siempre la Biblia, y su visión del cristianismo se ciñe muy en particular a lo que la Biblia nos cuenta de la visión del fundador del cristianismo, Jesús. Honrado con la invitación a participar en este homenaje a un hermano tan querido, me ha parecido bien volver sobre dos de sus obras más tempranas, con la idea de observar cómo Driver emplea allí la Biblia y qué dice acerca de ella, su naturaleza y su forma de comunicarnos la verdad de Dios.

En el primer capítulo de *Comunidad y compromiso*, uno de los primeros libros de Driver, él nos ofrece las pautas hermenéuticas que sin duda operan en toda su obra posterior. Tras confesar la clara inspiración de su pensamiento (¿y de algunas de sus presuposiciones hermenéuticas?) en el movimiento anabautista del siglo 16, nos ofrece en las páginas 16 a 21 cuatro puntos bajo el subtítulo «¿Cómo leer e interpretar la Biblia?»:

1. Primero se descarta como inadecuada una hermenéutica que se base exclusivamente en «la fe y prácticas tradicionales de la iglesia». Para Driver, «esta hermenéutica cierra la puerta ante cualquier posibilidad de una renovación y, más aún, de una reforma radical». Admirador confeso de la Reforma Radical, viéndose obviamente como predicador de una conti-

nua reforma de la iglesia conforme a sus raíces en Jesucristo y el Nuevo Testamento, cualquier hermenéutica que «cierra la puerta» a tal reforma queda obviamente rechazada.

2. Luego se descarta como inadecuada otra manera de enfocar la lectura bíblica: la que sólo acepta como normativa aquella enseñanza que pueda describirse como «practicable». Driver rechaza este criterio porque aunque lo describe como muy común (entre las iglesias que él conoce), «ésta también es una forma conservadora de leer e interpretar la Biblia, pues aun leyéndola las cosas no cambian». Y hemos visto que, para Driver, el cambio, especialmente el cambio radical, es una virtud admirada en el pasado y deseada para el futuro.

3. Ahora Driver pasa a describir lo que él llama «la regla de Pablo", que él ve en 1 Corintios 14.29. Según esta regla, todos los cristianos (presumiblemente de una comunidad local) se reúnen en torno a la Escritura, sometiéndose a la guía del Espíritu Santo para discernir entre todos (aunque sin obviar el ejercicio de dones específicos como los de maestros, profetas y quien preside) qué es lo que Dios pretende para el grupo.

Este principio hermenéutico es el que obviamente Driver considera el adecuado o correcto. Lo considera «bíblico» y apostólico: «la regla de Pablo». Es curioso observar que aquí, partiendo desde su compromiso previo con la Reforma Radical anabautista y su deseo de participar en una continuación contemporánea de reforma radical basada en principios parecidos a los que inspiró a aquella, Driver nos propone como hermenéutica un *proceso hermenéutico*, sin entretenerse en definiciones teóricas previas acerca de la naturaleza de este libro que estudiamos.

Driver no ha sentido que fuese necesario ofrecer aquí una declaración clara (y típicamente conservadora o fundamentalista) acerca de 1) la inspiración e infalibilidad o inerrancia de la Biblia, y 2) la objetividad de la Verdad como algo superior al ser humano, más allá de los procesos psicológicos, sociales y culturales (todos ellos obviamente subjetivos y relativos) por los que cada ser humano llega a lo que él o ella puede reconocer como cierto.

En lugar de ello, Driver nos ofrece un *procedimiento comunitario* en el que no se sabe nada al empezar, aparte de que 1) el Espíritu nos ha convocado como asamblea, *ekklesía*, iglesia de Cristo; 2) estamos comprometidos con los *cambios* que de antemano damos por supuesto que Dios querrá traer a nuestra vida personal y social, comprometidos a *obedecer* a Dios, sea lo que sea que él nos vaya a revelar; y 3) es por medio de la lectura y estudio de este libro, la Biblia, que Dios nos guiará hacia ese futuro del que lo único seguro es que será distinto a lo que antes del estudio podíamos imaginar.

Bien se podría describir esta hermenéutica como 1) *carismática*, en el sentido de que es un don, una evidencia de la gracia de Dios, dependiendo total y absolutamente del Espíritu Santo, y 2) *subjetiva*, en el sentido de que la verdad no existe en un vacío como Verdad Absoluta en el abstracto, sino que es dinámica, cambiante, viva, que depende de las circunstancias e identidad de quienes la buscan. La revelación de la Biblia no puede ser hallada de una vez por todas, sino que ha de ser hallada cada vez que se emprende el estudio bíblico, que actúa como guía activa de un Dios que espera ser obedecido mediante cambios radicales en su pueblo.

4. El cuarto punto viene a ser una reiteración de las mismas ideas, que Driver ahora pasa a llamar «la regla de Cristo» porque en los Evangelios (Mr 16.19, 18.18-20; Jn 20.22-23) Jesús promete estar presente precisamente para un *proceso de discernimiento comunitario* de estas características. Aunque los textos que él cita en este apartado no hablan concretamente de un «estudio bíblico» ni de «interpretación de la Biblia», Driver da por sobreentendido que aquella comunidad que se reúne con la autoridad que le confiere la presencia sobrenatural de su Señor, para solucionar los problemas concretos de obediencia y desobediencia en su seno buscará precisamente *en la Biblia* las orientaciones y conceptos de que se servirá el Espíritu para revelar la verdad necesaria para ese momento. Esto es tan importante que viene a determinar para Driver la legitimidad de la iglesia como tal: «La iglesia existe allí donde los hermanos leen e interpretan la Biblia, a fin de ser verdaderamente discípulos de Jesús y reconciliarse continuamente unos con otros en Cristo.»

En la sección I (pp. 17-45) de *Militantes para un mundo nuevo*, tras situar el sermón dentro de su contexto literario en el Evangelio de Mateo, Driver nos vuelve a describir una serie de avenidas hermenéuticas que él considera inadecuadas:

- *Literalismo dualista*, donde la obediencia a la enseñanza de Jesús sólo atañe a unos pocos cristianos heroicos, cuyo propósito es estimular a los demás cristianos a superarse dentro de lo que les sea posible en la práctica.

- *Ética de intención*, donde la obediencia a la enseñanza de Jesús no viene a cuento salvo en un sentido psicológico: uno *desea* hacer el bien, y con eso ya basta.

- *Interpretación pedagógica*, donde el propósito de la enseñanza de Jesús es subrayar lo imposible que es agradar a Dios, para que reconozcamos que es necesario depender de la gracia y no de las buenas obras.

- *Ética interina*, donde se parte del supuesto de que Jesús (equivocadamente) pensó que se acercaba ya entonces el fin del mundo y propugnó una enseñanza imposible de mantener a largo plazo.

- *Ética futurista*, donde la obediencia queda relegada a una «dispensación» futura, ajena al presente histórico en que se encuentran los cristianos entre tanto.

- *Ética para una sociedad sencilla*, donde la enseñanza de Jesús tal vez fuera práctica en sus propios tiempos, pero hoy día ya no es practicable.

Rechazadas todas estas opciones, Driver sugiere que el Sermón del Monte mismo, internamente, nos ofrece las perspectivas necesarias para su interpretación correcta. Se trata de:

- Una ética de arrepentimiento
- Una ética para discípulos
- Una ética comunitaria
- Una ética de testimonio
- Una ética de cumplimiento
- Una ética de amor

- Una ética de exceso (donde se exige una conducta superior a la que sería normalmente esperada por la sociedad y la religión)
- Una ética de reconciliación

Por último (y desarrollándolo con un subtítulo aparte), Driver sitúa la enseñanza de Jesús dentro de un contexto mesiánico, del Reino de Dios ya presente entre los hombres, donde lo «imposible» se hace «posible» por el Espíritu de Dios.

Aquí una vez más, como habíamos visto ya en *Comunidad y compromiso*, las pautas hermenéuticas que interesan a Driver son todas prácticas, éticas: tienen que ver con la *respuesta de obediencia* que exige el texto bíblico.

El pensamiento de Driver es sumamente cuidadoso y detallado para impedir que *quien ya de antemano otorga autoridad al texto bíblico* pueda escurrir el bulto de una obediencia, radical y transformadora, a la conducta exigida por la enseñanza de Jesús en el evangelio. Lo que *no* tenemos aquí entonces, nuevamente, es un interés en explicar cómo es que el texto del Sermón del Monte que trae el Evangelio de Mateo viene a gozar de esa fiabilidad (como presuntas palabras de Jesús mismo) y autoridad (como mandamiento para todas las generaciones posteriores de cristianos), como para exigir que la intención de obediencia que al parecer las inspira sea tenida en cuenta. Driver prefiere dejar eso como la presuposición de una convicción en común que comparten él y sus lectores: si el Evangelio de Mateo pone que Jesús subió a un monte rodeado por sus discípulos y demás multitud de oyentes y pronunció precisamente estas palabras, entonces eso es lo que sucedió y esas (y no otras, parecidas ni distintas) fueron las palabras que Jesús pronunció.

Tal vez esto es especialmente fácil porque se trata de palabras atribuidas a Jesús mismo. El caso es que yo suelo dar a entender exactamente las mismas presuposiciones cuando escribo sobre casi todo el Nuevo Testamento y concretamente sobre las enseñanzas de Jesús que vienen en los cuatro Evangelios canónicos. Como no me cabe duda que sucede con Driver mismo, estoy al tanto de la multitud de cuestiones que atañen a la tradición oral y la redacción, recopilación, copia, edición, etc., de los documentos que conforman nuestro Nuevo Testamento cristiano. Pero frecuentemente prefiero ignorar esas cuestiones por exactamente el mismo motivo que sospecho que inspira a Driver a ignorarlas: el deseo de no distraer ante el imperativo a la obediencia que exige un proyecto de transformación radical para el individuo y para la sociedad humana, que parecen haber inspirado a Jesús y a sus seguidores.

Para Driver, concretamente en *Militantes* aunque en otros escritos también, el reto es la divulgación de los *insights* —las ideas brillantes y razonamientos profundos— que los menonitas norteamericanos a mediados del siglo 20 descubrieron en el estudio del movimiento anabautista europeo del siglo 16. Se trata esencialmente del redescubrimiento del radicalismo emocionante, a veces turbador e inquietante, que se esconde en la enseñanza del Maestro —Jesús de Nazaret— y en todo el Nuevo Testamento.

El reto hoy día, me parece a mí, es el mismo. Con la dificultad añadida de que la sociedad en general —y a veces me temo que los cristianos en particular— no están muy seguros de que la enseñanza de Jesús *interese*. La sociedad moderna lo ha relativizado todo, hasta el punto que Jesús es meramente uno más en medio de una larga lista de personajes religiosos, filósofos, políticos y charlatanes en el transcurso de la historia, que dicen ofrecer una solución para la humanidad. Mientras que en la iglesia se adora frecuentemente a Jesús como Señor y Salvador, pero se coloca el sentimentalismo religioso en lugar del compromiso a seguir los pasos del Maestro.

A estos últimos, los que adoran a Jesús sin seguirle, muchas veces sus dogmas tradicionales les resultan más un estorbo que una ayuda. Concretamente la seguridad con que se refugian en la inerrancia plena de la Biblia *les ofrece Escrituras de sobra con que rebatir el pensamiento de Jesús*. De ahí la necesidad —o así lo veo yo— de moverles un poco el suelo, provocarles con el deber ineluctable de reexaminar esos textos bíblicos a la luz de la Revelación perfecta del Padre que tenemos en la figura del Mesías Jesús. Aquí la cuestión no es poner en duda la inspiración de las Escrituras, sino ciertos excesos de literalismo en su interpretación, que pueden conducir a rebajar el radicalismo del mensaje de Jesús.

10

TEOLOGÍA DE LA PEREGRINACIÓN (PARTE 1)
Un itinerario humano con Dios en el camino de la vida

Mario Higueros

La teología de lo provisional surge desde una observación de la historia de la salvación. Incluyo en esta primera parte algunos de los relatos del Antiguo Testamento. Animado por las enseñanzas de Juan, quien siempre insiste en ser «radical» (ir a la raíz) en la lectura, y en honor a ese espíritu libre, heredado del genio anabautista, acucioso y con pretensiones de fidelidad a la palabra, propongo este ensayo, que espero continuar posteriormente en una lectura del Nuevo Testamento. Confiando en el amor de mis hermanos anabautistas de muchas confesiones, me atrevo a dar rienda suelta al pensamiento para iniciar una línea de reflexión que espero sea el inicio de una empresa común para que entre todos y todas podamos acercarnos a vivir a Jesús en el revés de una fe domesticada.

Introducción

Nuestro conocimiento de Dios parece ser una experiencia peregrina, porque de ello sólo se puede decir lo que Jesús ha querido revelarnos en su paso por el mundo. El Dios descrito en la Biblia por la iluminación de su Espíritu, mediatizado por la interpretación de los creyentes, y ante la irrupción del Viviente superlativo se mueve en la historia y fuera de ella por caminos insólitos.

Dios, inexplicable por la condición transitoria del hombre y la mujer, sólo se deja ver en la Biblia como «un paso» en lo efímero pero a la vez hermoso de la vida. Por eso, el *Qohelet,* autor seudónimo, convoca a la asamblea cuatro siglos antes de Cristo y revisa el panorama existencial del ser humano. El Eclesiastés, con un realismo poético, fantástico pero crudo, nos sentencia lo existencial relativo cuando dice: «Todo tiene su tiempo, todo nace y todo muere.» En el Eclesiastés todo parece ser movimiento, mutación, cambio, contraste. Es un resumen de la teología de la peregrinación que recorre la Biblia entera. El vidente convoca a toda la asamblea para verter la sabiduría humana, y ponerla a su consideración.

Un hilo conductor de la Biblia recoge la experiencia del creyente como «lo transitorio», muestra de que somos peregrinos y extranjeros en el mundo. Sólo vamos de camino, buscando nuestro destino, y en esa lucha Dios nos sale al encuentro.

El Espíritu se movía (Gn 1.2)

La moción del espíritu de Dios parece anteceder a lo creado y es un primer dato de la teología de lo provisional. ¡Cómo no va a ser provisional un espíritu y además en movimiento! Pero la palabra es la concreción del pensamiento, el sentimiento y la voluntad en medio del caos. La palabra es el movimiento del pensamiento que crea con una fuerza poderosa desplegando la vida. Lo creativo nace de la moción; la fe es la palabra en acción. Por eso, la peregrinación como proceso de fe tiene como naturaleza la acción creadora de Dios. La palabra de Dios es animada, es lo dinámico, universal y cósmico. Dios se mueve para seguir moviendo. La palabra salida de la boca de Dios no regresa vacía, sino repleta de obras de amor, haciendo de la vida humana un paréntesis que viene de lo eterno y va hacia ello.

Dibujar su rostro en la mujer/hombre (Gn 2.24)

La creación del ser humano es la acción del movimiento de lo individual a lo conjunto. Por eso, dejar el familiar útero nos pone de nuevo en el camino del peregrinaje de nuestro yo al tú y de ahí, al nosotros. La naturaleza del ser hombre/mujer no es posible sin peregrinar desde nuestra soledad, desde nuestro egoísmo, para encontrarnos con el otro y la otra. Pero se puede ser solamente si somos capaces de «dejar». Es el tránsito de lo incompleto a lo complementario.

Quizá por ello lo que de Dios tenemos como imagen sea su amorosa capacidad de relacionarse. Toda separación es muerte; separar, escindir, significan lo mismo. Y sin embargo, en nosotros, estas donaciones luchan por encontrarse en el eterno fundamento del amor. Por ello, un gran misterio define a la pareja caracterizada por el amor.

Tener que optar (Gn 2.16-17)

La libertad de escoger entre «dos árboles» es un tránsito entre la voluntad ejercida y la voluntad domesticada. La capacidad de optar es uno de los primeros regalos de Dios al ser humano, quien está en el paraíso de la dependencia cautiva. Sólo en libertad se puede escoger lo que uno quiere, incluso «no» seguir a Dios. La libertad fortalece la decisión de amar a Dios, quien desea que nos movamos hacia él por nuestra voluntad.

Adán y Eva, en su derecho de optar, se trasladan a vivir en el camino que ellos escogieron. El camino de su peregrinaje está lleno de espinas y del esfuerzo por hacer producir a la tierra. En el camino está el dolor que causa parir la descendencia. ¿Es el principio del trabajo doloroso? ¿O el trabajo se torna doloroso, alienado, por la decisión errada del ser humano?

La mujer camina por la senda del dolor, bajo el signo de la sujeción del hombre alienado. Su voluntad queda sujeta al egoísmo de género. Los que surgieron por la obra de la mano de Dios en una misma masa ahora se dividen y toman su propio rumbo. La división es la muerte, la separación. «Lo que Dios ha unido, que no lo separe otro ser humano» (Mr 10.9).

De la donación de vida a su anulación (Gn 4)

Se inaugura el enigma humano de todos los tiempos, culturas y razas: la muerte. Qué extraño que la primera apariencia de muerte no sea la natural sino la circunstancial. Las palabras de Pablo «¿Dónde está, muerte, tu aguijón? ¿Dónde, sepulcro, tu victoria?» no son tan sólo un grito de triunfo sino una queja desesperada del enigma que todavía no conoce personalmente.

¿Es el fratricidio señal de la competencia neoliberal? La ofrenda de los hermanos transforma en negocio competitivo lo que debería ofrecerse con gratuidad. Es el esfuerzo de querer comprar a Dios. «¿Cómo se puede decir que se ama a Dios cuando se odia al hermano?», dice Juan, en su primera carta. El fratricidio como secuestro de la libertad del otro o la otra (que hoy pasan por la economía, la política arbitraria) promueve la muerte.

La guerra como camino sin salida (Gn 6)

Los «hijos de los hombres», gigantes, fueron tenidos como héroes en los tiempos antiguos, no por ser humanos, sino por ser guerreros. ¿Por qué será que los héroes de hoy también son los guerreros, cuyos epitafios adornan las grandes abadías e iglesias de la cristiandad? Ser hijos de Dios o de los «hombres» está marcado por la diferencia de actitudes. El tránsito a la maldad se inicia en los que deciden seguir una caricatura de Dios, por el método de la fuerza y los que viven su ejemplo de creación, de paz y de vida. Jesús, el inocente, clavado en la cruz, desarma el argumento de los que creen en la fuerza. Por eso no se puede ser cristiano y guerrero. La guerra es una peregrinación de la vida hacia la muerte. No hay guerras santas. No hay guerras justas cuando éstas incluyen la eliminación del otro.

La hermosura de las hijas de los hombres del relato bíblico estimula el deseo de los hijos de Dios haciéndolas objetos del deseo. ¿Acaso no había mujeres hermosas entre los hijos de Dios? Quizá sea el triunfo del patriarcado el que condena a las mujeres como las que producen distanciamiento entre el querer de Dios y el querer del ser humano. La tentación del hombre, ¿viene realmente de la mujer? ¿Somos los hombres los que caemos en las redes femeninas o nos dejamos caer para luego inventar racionalizaciones de nuestra conducta?

Deshacer desde el cielo
y rehacer desde la tierra

Otro relato de la creación se pinta en el diluvio. Involucra al ser humano en los siete días de espera hasta que la paloma aletea sobre el caos y ya no regresa. El camino del ser humano hace *re-creativa* la salvación cuando Noé obedece a Dios contra toda lógica. Cuarenta días y cuarenta noches. El cuarenta como número significativo infiere la prueba, la fe y la gracia de Dios en el peregrinaje de la vida. La experiencia de Israel en el desierto lo hace concebir este cálculo de vida que ha de permanecer en el culto y las tradiciones. El arco iris con sus múltiples colores, resultante de la descomposición de la luz, establece el pacto entre Dios y los seres humanos. El pacto quizá signifique que no sea Dios quien destruye, como los dioses babilonios, caldeos y cananeos de naturaleza destructora, sino que el ser humano deje de destruir, como en el caos ecológico de nuestros días.

Hoy en día, muchos dilemas de interpretación se derivan de una concepción tremendista y arbitraria de la soberanía de Dios, a quien se le atribuyen males para lograr bienes, basándose en citas bíblicas cuyo espíritu no concuerda con el mensaje global de Dios en la Biblia.

Crear nuevas estirpes del mismo tronco (Gn 10)

Los hijos de Adán: Sem, Cam y Jafet hacen del peregrinaje un seguimiento diverso. Cada uno puebla la tierra dando origen a los pueblos que luego lucharían entre sí. Las naciones vienen de un mismo tronco. ¿Por qué entonces reclamar exclusividad de territorio y de herencia? El peregrinaje se encamina hacia la servidumbre por haber visto la intimidad del padre borracho. ¿Se percibe la realidad sólo cuando uno se enajena del mundo? Quien descubre esa intimidad se hace depositario de un secreto que hay que guardar a toda costa, porque es la realidad de la otra persona. El juicio sobre la intimidad del otro o la otra podría ser la explicación justificadora de la marginación de los habitantes de Canaán, los filisteos y amorreos, que han de ser sacados de su tierra, de acuerdo a una interpretación interesada.

¿Confusión o entendimiento?

El símbolo del acomodo y del estatus es la gran torre de Babel. ¿Es una analogía del repudio hacia todo imperio? Hacerse un «nombre» es querer hacerse «paterfamilias». Para los hebreos, el nombre es la continuación de la tradición paterna. La tradicional paternidad de Dios es que él camina, se mueve. Por eso la torre puede ser la negación del peregrinaje. No ser esparcidos por toda la tierra para ser bendición de otros, como reza el pacto.

Como dice Ellul: Quizá eso sea el principio de la alienación de los seres humanos que vemos hoy en las grandes urbes inhumanas del mundo. Quedarse en «un lugar» es el contrasentido del peregrinaje que Dios pide del creyente. Es dejar de confiar en el acompañamiento y la mano de Dios. El peregrino siempre confía en Dios porque no tiene «cosas que perder». A fuerza de su desconfianza, los humanos quieren un nombre para darse un prestigio, una identidad, fuera de Dios.

«Sal de tu tierra y de tu parentela a la que te mostraré»

Taré, el padre de Abraham, inicia el viaje sin haber recibido llamado. Su búsqueda del Dios vivo lo lleva fuera de su lugar natal. Lleva a su hijo, a su nieto y a su nuera a la tierra de los asirios. Y quizá funda la ciudad de Harán en honor de su hijo muerto en Ur. Los prolegómenos del peregrinaje están en la voluntad humana. La ruptura con los lugares ancestrales inaugura una nueva forma humana de ser. Los horizontes se amplían para ir al encuentro con Dios. Es quizá el establecimiento de una religión que surge desde «ese hondón de Dios» inscrito en cada uno de nosotros.

El llamado de Dios al hijo

El padre Taré inicia el peregrinaje, pero es el hijo quién lo instituye como obediencia a la palabra de Dios. «Sal de tu tierra y parentela para lo ignoto, lo desconocido, pero que Yo te mostraré.» Es el texto de oro de la teología de la peregrinación. Es una fe puesta en camino. Los hijos de este patriarca y sus descendientes serán peregrinos y extranjeros. Quizá el significado de «eretz», la tierra, sea otro y la clave sigue estando en confiar en lo que Yahvéh «mostrará». La iglesia, parte de ese pueblo de Dios, desde Constantino, parece seguir un estatus privilegiado de confesiones que luchan por la primacía de «su» interpretación. La iglesia se arma y conquista tierras. Por eso, quizás,

sean los mansos los que «heredarán la tierra» según la biena-
venturanza. Los que no hacen guerras para conseguir su herencia, que también pertenece a otras personas.

Abraham llega a Canaán, hoy Palestina, no como invasor,
sino como peregrino. La muerte de la amada hace al patriarca
echar raíces en Canaán, porque se sigue considerando extranjero
y forastero (Gn 23.4). ¿Por qué compra, si todo es de él? ¿Por
qué compra para enterrar? Allí cohabita en paz varios años. El
que sería llamado el padre de la fe recibe lecciones del rey
Abimelec, al que juzgaba como «hombre malo» y quien lo invita
a vivir en medio de ellos. Un sacerdote/rey, cananeo, Melqui-
sedec, bendice al patriarca y a toda su familia en su camino de
búsqueda de la promesa de Dios.

La promesa cumplida

La desesperación hace que los seres humanos desconfíen de
la promesa de Dios, como Sara, la matriarca, que imposibilitada
de dar descendencia, ofrece a su sierva egipcia a su marido. El
primer hijo del peregrino es fruto de la desesperación. Ismael
nace con el signo de querer hacer cumplir la promesa de Dios
por designio propio. La promesa parece decantarse por los caminos de la universalidad pero la tradición retrocede la promesa a
los cauces de lo exclusivo. El signo del pacto con Dios de una
descendencia numerosa como las arenas o las estrellas de los
cielos se firma con el prepucio varonil rasgado. La virilidad hu-
millada recordaría al padre de la fe que la descendencia no es
por voluntad de varón sino por el querer de Dios y rebasa las
fronteras de lo puramente sanguíneo.

Dios no pide sacrificios de sangre

La descendencia está en peligro, el largo sufrimiento de no
tener descendencia parecía haber encontrado cauce en un hijo
que no era único. (¿No es hijo Ismael?) Los dioses de Canaán
reclamaban sacrificios humanos.

El paradigma de los primogénitos muertos en Egipto como
símbolo de obediencia parece haber triunfado como argumento
del sacerdocio que necesitaba fundamentar el culto sacrificial,

dice Franz Hinkelammert. Abraham termina con esa tradición de una vez por todas. Él sabe que Yahvéh no es como otros dioses. En efecto, «Dios provee víctima animal para seguir la tradición, pero no humana. ¡Dios no es Dios de sacrificios cruentos, sino de vida. Por eso a Abraham le es refrendada la promesa de tener una gran simiente, orgullo en la cultura del Medio Oriente, y esta simiente será de bendición a todas las naciones!

Nuestra soteriología occidental quedó fuertemente influenciada por las ideas de San Anselmo, teólogo del siglo 12. El honor ofendido de Dios sólo se paga con la muerte del inocente. Quien acepta ese inocente substituto obtiene la salvación. Ciertamente el mensaje así interpretado, sólo como los ritos sacrificiales del templo, podría llevarnos a la misma conclusión. El valor salvífico de Dios se encuentra en la vida de su Hijo, quien nos muestra el camino con sus hechos/dichos y no sólo con lo cruenta que es una denuncia de los que creen en la muerte.

Regreso a casa para encontrar compañera

El péndulo del peregrinaje se inclina de nuevo hacia el terruño. La historia se repite. Abraham retrocede sus pasos porque quiere mujer para su hijo Isaac en Harán. ¿Qué es lo que desea: garantizar la sangre o garantizar la fe? ¿Acaso la tierra de la promesa no es buena para sembrar la semilla de la descendencia? Lo que está en juego es la creencia y no la sangre.

Dos niños nacen del seno de Raquel que traen dentro de sí caracteres indelebles de la división y que marcan la saga del fratricidio que habría de caracterizar a los reinos de Israel y Judá. Los tratos, los engaños, son la constante de la casa de Isaac. Caín y Abel redivivos continúan la búsqueda de la vida en medio de la muerte.

Un largo viaje de huida lleva a Jacob a la tierra de los asirios, adonde su abuelo y su tatarabuelo habían emigrado en camino a Canaán. De nuevo funda parentela entre sus familiares y regresa a Canaán con una numerosa descendencia, cargado de riquezas, fruto de su astucia como negociante y de ídolos escondidos entre las faldas de su esposa.

Idas y venidas entre Canaán y Egipto

La historia de Jacob se desarrolla siguiendo el camino de la peregrinación en José, el primer hijo de la mujer amada entre las demás. Su habilidad de vidente salva a su familia de la hambruna y permite el gran desarrollo de su clan en un pueblo; deja de ser una familia para ser multitud de familias. La alianza estratégica entre José y el poder egipcio entra en conflicto al desmoronarse la dinastía reinante y empiezan años de tormento para los clanes de Israel.

El viaje por el desierto conforma una nueva nación y se inician las tradiciones como pueblo. De regreso a la «tierra prometida.» Un profeta se levanta de en medio. Este Moisés también hace un peregrinaje que lo moldea como líder sin espada en medio del desierto.

El regreso se convierte en una épica de conquista. Los viejos amigos y vecinos son enemigos a los que hay que conquistar. Se legitima la posesión de la tierra. En esas circunstancias se levanta «Casa para Yahvé». El Dios adorado en tiendas frágiles en medio del desierto ahora reina en un palacio y la presencia del *shekina* inunda un cubículo exclusivísimo. Hoy los protagonismos eclesiales sitúan al rito y la palabra en manos privilegiadas. La teología peregrina se hace estatal y sedentaria.

La peregrinación por el exilio

La división de los hermanos desmorona el reino construido por Saúl, David y Salomón. Palestina, el paso obligado de las grandes potencias, atrapa al pueblo hebreo y palestino una y otra vez a lo largo de la historia antigua. El turno es ahora para las potencias del norte, Asiria y Babilonia. Los hijos e hijas de Israel. El péndulo lleva a Israel fuera de Canaán. ¿Será que ésa no es la tierra de la promesa? ¿Dónde, pues, está la promesa? El pueblo sale a la diáspora y, sobre ella, el cristianismo también construirá sus redes de buena noticia. Sólo que ahora el culto no será exclusivo.

Ampliar
el sentido de misión

11

LA TEOLOGÍA PRÁCTICA EN PERSPECTIVA ANABAUTISTA
Cinco pistas normativas

Daniel Schipani

Uno de los desarrollos más notables de los últimos veinticinco años en las disciplinas teológicas ha ocurrido en el campo de la *teología práctica*. La misma ya no se percibe como mera «teología aplicada» sino como una teoría de la acción que incluye dimensiones y tareas empírico-descriptivas, interpretativas, normativas, y estratégicas.

De hecho, el carácter especial y la contribución única de la teología práctica hoy día se define, primero, por su naturaleza contextual, o sea, su foco en la realidad concreta e histórica de las comunidades de fe y praxis cristiana. En segundo lugar se destaca su labor empírica, es decir, la observación sistemática de la experiencia humana mediante la utilización de instrumentos apropiados, especialmente los provenientes de las ciencias sociales, tales como el análisis social y cultural y la aplicación de entrevistas y encuestas. Tercero, la teología práctica es un quehacer teológico inherentemente interdisciplinario y hermenéutico que incluye una cuidadosa integración de «lecturas» — interpretación de la realidad social y la experiencia de personas concretas; de la Biblia, la tradición, las prácticas y valores de la iglesia, y de las contribuciones posibles de las ciencias humanas y otras fuentes culturales. En cuarto lugar, la teología práctica desarrolla normas para establecer la integridad ético-teológica de sus objetos de estudio. Finalmente, la teología práctica tiene una orientación pragmática y estratégica en el sentido que identifica guías para la acción de quienes procuran estimular procesos de formación y transformación de personas, grupos y comunidades, por ejemplo mediante prácticas de cuidado pastoral y de discipulado.

En las secciones siguientes esbozaremos el perfil de una visión anabautista de la teología práctica mediante la presentación de cinco pistas normativas aplicadas específicamente a los ministerios especiales de la enseñanza y el cuidado y consejo pastoral. Nuestra tesis es que una *perspectiva anabautista* puede fundamentar y orientar tal quehacer teológico de maneras pertinentes y creativas en medio de la realidad de nuestro tiempo, condicionada por los procesos de globalización en marcha.[64] Además, creemos que la rica contribución de Juan Driver es un recurso muy especial para caracterizar y aplicar debidamente dicha perspectiva.[65]

Primera pista:
La teología práctica debe privilegiar el contexto de la iglesia en el mundo

> La pregunta que debemos formularnos es: ¿Qué clase de comunidad seremos? ¿Seremos una comunidad limitada y empobrecida, o una comunidad que realiza plenamente los propósitos que Dios tiene para ella? Compartir la vida en el cuerpo de Cristo implica vivir en Cristo en toda la plenitud inherente en esa relación y, a la vez, convivir con nuestra hermandad en una expresión plena de vida comunitaria.[66]

Partimos de la afirmación que la vocación de la iglesia es convertirse en un sacramento[67] vivo del Reino y de la sabiduría

---

[64] He procurado reflejar fielmente tal perspectiva anabautista en mis diversos trabajos de teología práctica, particularmente en las áreas de la educación, y la psicología y el consejo pastoral. Véase, por ejemplo, Daniel Schipani, *Teología del ministerio educativo: perspectivas latinoamericanas*, Nueva Creación, Grand Rapids, 1993, y *O caminho da sabedoria no aconselhamento pastoral*, San Leopoldo, Editora Sinodal, 2004.

[65] Debido a la limitación de espacio, este ensayo no incluye una presentación sistemática de la contribución de Driver sino que la presupone.

[66] Juan Driver, *Comunidad y compromiso: estudios sobre la renovación de la iglesia*, Ediciones Certeza, Buenos Aires, 1974, p. 58.

[67] La referencia al llamado a la iglesia de convertirse en un sacramento de la vida de Dios en el mundo y a favor del mundo ha tendido a popularizar-

de Dios en medio de la historia y la cultura, y utilizamos el término *sacramento* intencionalmente, con su triple significado de señal, símbolo, y medio de gracia. La iglesia está llamada a ser una señal veraz que apunta en la dirección de la plenitud de vida. También está llamada a ser un símbolo que *re-presenta* fielmente, o que encarna en su propio seno, el amor y la sabiduría de Dios. Y está llamada a ser un medio de gracia fructífero, o sea, un instrumento y agente de la gracia divina en el mundo. En síntesis, dado su compromiso en el seguimiento de Jesús por los caminos del Reino y su continuo discernimiento en búsqueda de la fidelidad, la iglesia procura convertirse en comunidad de amor y sabiduría por excelencia. Por eso es que percibimos a la iglesia como el foco primario de atención cuidadosa y como contexto y agente primario de la formación, el cuidado y la transformación del pueblo de Dios. Esto tiene por lo menos tres implicaciones, como se indica a continuación.

Los diversos ministerios de la iglesia se perciben y desarrollan según un paradigma comunal y contextual. En este paradigma, tales ministerios (por ej., la predicación, la enseñanza, el cuidado y el consejo pastoral, y otros) se perciben como las tareas de servicio de la comunidad de fe como tal a la luz de su contexto social. El foco de atención es la comunidad discipuladora y sanadora con sus diversos contextos de servicio, y no principalmente el trabajo de los pastores ordenados y otros líderes congregacionales. En otras palabras, las dimensiones de guía y orientación, apoyo, reconciliación y sanidad se ven como función de la iglesia como tal, no sólo para el bienestar y el crecimiento espiritual de sus miembros sino, especialmente, para el bienestar de la comunidad humana en sentido más amplio.

Quienes ejercen ministerios especializados, tales como los pastores y los maestros, reconocen que Dios llama a la iglesia a manifestar la presencia reveladora y la praxis del Reino y de la sabiduría de Dios. Al mismo tiempo, ayudan a la iglesia a dis-

---

se a partir de la publicación y difusión de los documentos del Concilio Vaticano II.

cernir la naturaleza de tal llamamiento, el cual, por otra parte, a su vez los forma. Identifican y describen tal llamado como la vocación de la iglesia de convertirse en una «buena forma»[68] de plenitud humana a la luz del reinado y la sabiduría de Dios. Utilizamos la noción de buena forma incluyendo tanto las connotaciones éticas (moralmente buena) como las estéticas (armoniosa, de forma bella). Por supuesto, tal buena forma siempre consiste en la representación histórica única, contextualizada, del Reino y la sabiduría de Dios. La idea es que las comunidades de fe son tanto mejores y más bellas en la medida en que toman la forma de Cristo.

Es apropiado hablar de *artes* ministeriales porque todos los tipos de ministerio cristiano tienen que ver con la formación y la transformación humanas, pero, en última instancia, sólo podemos imaginar su culminación escatológicamente. Por eso es que, especialmente los encargados del cuidado pastoral y la enseñanza (así como en todo ministerio) deben reconocer las dimensiones éticas, estéticas, y políticas de la identidad y carácter de la iglesia como pueblo de Dios del Pacto, cuerpo de Cristo, y templo o morada del Espíritu. Las congregaciones se convierten en contextos de revelación divina en la medida en que son comunidades sacramentales veraces, fieles y fructíferas. Así es como, por gracia, proveen reflejos del Reino y la sabiduría de Dios.

La formación y transformación de la comunidad de fe resulta ser de interés y preocupación especial para todos los ministerios. Por lo tanto, el foco primario, aunque ciertamente no exclusivo, de las actividades de discipulado y de cuidado pastoral, tanto en sentido amplio como en sentido restringido, es el proceso de formación y transformación de la congregación toda y de cada aspecto de la vida congregacional. Más específicamente, tal interés y preocupación puede expresarse en términos de ciertas preguntas fundamentales: ¿Cómo pueden aquellos ministerios particulares contribuir a la adoración del pueblo de Dios? ¿Cómo

---

[68] El término *buena forma* se usa aquí metafóricamente, es decir, de manera análoga a lo propuesto por la clásica psicología de la *Gestalt*.

ayudan a equipar a la iglesia para edificar la familia de Dios en tanto cuerpo de Cristo? ¿Cómo contribuyen a potenciar a la iglesia, en tanto morada del Espíritu, para participar en la misión divina en el mundo y a favor del mundo?

Segunda pista:
La teología práctica debe afirmar la normatividad de Jesucristo, Sabiduría de Dios

> En los Evangelios la salvación es mesiánica, traída por Jesús, el Siervo Sufriente de Yahvéh, tanto en su vida como en su muerte ... Esta salvación se da en el contexto de la comunidad mesiánica. Es global, tocando todas las facetas de la existencia humana y trascendiendo barreras temporales ... confesamos gozosamente que en el Cristo de la encarnación y la parusía, del que vino y que viene, hallamos la salvación en todas sus ricas dimensiones.[69]

Afirmamos la centralidad de Jesucristo en toda práctica ministerial. También se entiende que Cristo se ubica al centro de la reflexión teológico-pastoral, tanto crítica como constructiva, que surge de la práctica y sostiene y evalúa las actividades ministeriales tales como la enseñanza y el cuidado pastoral. Esta afirmación encierra varias implicaciones, como las que se identifican a continuación.

Los pastores, maestros, consejeros, mentores de jóvenes y otros procuran guiarse por una visión cristocéntrica de la humanización, es decir, de la plenitud humana y de la vida abundante y sabia. Por lo tanto, necesitan encontrar conexiones explícitas entre su práctica ministerial y la confesión de que Jesucristo encarna la vida y la sabiduría de Dios y nos revela la voluntad divina para el devenir humano auténtico. Y tal visión cristocéntrica de lo que significa ser humano debe considerarse junto con nociones bien abarcadoras de lo que es la salvación y la paz en el sentido más inclusivo del término *shalom*. Así es como

---

[69] Juan Driver, *El evangelio: mensaje de paz*, Ediciones SEMILLA, Ciudad de Guatemala, 1987, p. 24.

pueden integrar esas convicciones teológicas fundamentales sobre la obra de Cristo, la recreación de nuestra humanidad.

Las personas que ejercen ministerios especiales se interesan en las expresiones múltiples de fidelidad y crecimiento en la vida definida por la fe, o el discipulado. Así procuran relacionar esa fidelidad y ese crecimiento a los ámbitos del cuidado mutuo y del discipulado y a las agendas ricas y complejas de quienes solicitan nuestro servicio. Por ejemplo, hay innumerables situaciones que requieren cuidado y consejo pastoral cuando se enfrentan los desafíos y las luchas de la vida, tales como las decisiones vocacionales, serios conflictos matrimoniales, el dolor y la muerte, o el abuso emocional o sexual. En todas las ocasiones, la reflexión teológico-pastoral y la tarea de cuidado y consejo deben establecer conexiones significativas entre el problema o foco particular de atención que presentan las personas y la comprensión del crecimiento humano a la luz de la fe cristiana. El crecimiento espiritual se entiende entonces a la luz de la convicción de que «Cristo es poder y sabiduría de Dios ... al cual hizo Dios por nosotros sabiduría de origen divino, justicia, santificación y redención ... tenemos la mente de Cristo» (1Co 1.24b, 30b; 2.16b).

En tanto representantes de Cristo, los que ministran atienden a su propio crecimiento espiritual y procuran practicar su ministerio a la manera de Cristo. Esta clase de práctica ministerial supone entonces varias dimensiones interrelacionadas de identidad y carácter, incluyendo ciertas maneras de percibir y conocer (visión), de ser y de amar (virtud), y de vivir y trabajar (vocación). Las personas que ejercen diversos ministerios realizan tal representación en medio de esa relación tan especial que define al ministerio como pastoral en el sentido amplio y también en el sentido limitado del término. En otras palabras, procuran así explícitamente establecer una relación de discipulado y de cuidado en el nombre y en el espíritu de Cristo. Obviamente, se espera que algo similar ocurra en el caso de quienes trabajan en las ciencias humanas prácticas como lo son, por ejemplo, la educación y la psicoterapia u otra forma de psicología aplicada. En tales casos esperamos, también, que los profesionales cristianos trabajen «cristianamente» y con un carácter cristiano.[70] La diferencia respecto a los maestros o profesores y los consejeros pastorales, y especialmente los pastores en tanto maestros y consejeros, es que todos éstos representan también a la iglesia en forma explícita. Además, representan intencionalmente a Cristo como quien guía y orienta, reconcilia, apoya y sana a los necesitados de la gracia en medio de sus desafíos y luchas existenciales.

Tercera pista:
La teología práctica debe fundamentarse en la Escritura

> Las interpretaciones de una época siempre deben ser someti-
> das al juicio de una autoridad normativa ... tal es precisa-
> mente la norma en que Jesús interpretó para su época el
> Antiguo Testamento en el Sermón del Monte. La visión her-
> menéutica de los anabautistas demandaba, en última ins-
> tancia, confiar que el Espíritu Santo habría de guiar a la igle-
> sia al discernimiento de la verdad.[71]

En perspectiva anabautista, la teología práctica afirma la centralidad de la Biblia como texto del pueblo de Dios. En su función de disciplina teológica, articula la fundamentación e inspiración bíblica de todos los ministerios particulares en la vida de la iglesia y su misión en el mundo. Tomados en conjunto, los cuatro principios siguientes nos ayudan a definir lo que significa «ministrar bíblicamente».

---

[70] Dos entidades con sede en Estados Unidos pero de carácter internacional incluyen un postulado similar en su declaración de propósitos y su visión ético-profesional: la American Association of Christian Counselors, y la Christian Association of Psychological Studies. En el campo de la educación, la International Association for the Promotion of Christian Higher Education, por ejemplo, tiene una función análoga.

[71] Juan Driver, *Contra corriente: ensayos sobre eclesiología radical*, 2da. ed., Ediciones SEMILLA, Ciudad de Guatemala, 1994, pp. 10-11, 17.

Los pastores, los maestros, y otras personas con ministerios especiales trabajan con un marco y una perspectiva de la sabiduría presentada en la Escritura como una manera especial de hacer teología.[72] Este marco referencial está en armonía con la afirmación que la Escritura revela en forma veraz y confiable la naturaleza y el destino humanos, con una visión de la vida plena, cuando se la interpreta en armonía con Jesucristo, la Palabra encarnada, Sabiduría de Dios, según la guía del Espíritu y en medio de una comunidad que busca y discierne la voluntad divina. Tal marco referencial y perspectiva determinan decisivamente nuestra visión de la realidad, del conocer y de la verdad; de la formación y la transformación; de la naturaleza del bien, y de la plenitud humana, y del diario vivir con sabiduría (o sea, inteligencia moral y espiritual) para amar y trabajar.

El cuidado pastoral, la predicación, la enseñanza, y otros ministerios incluyen la consideración debida a las narrativas, enseñanzas, poesía, profecía, y otros materiales bíblicos, en la medida en que tales variaciones de la Palabra escrita iluminan y responden a las necesidades de orientación en medio de los desafíos y las luchas de la vida. Podríamos de hecho identificar varias posibilidades de aplicación.[73] Sin embargo, la Biblia no se

---

[72] Sobre este punto hay una coincidencia notable entre los biblistas y teólogos bíblicos: La Biblia registra una literatura de sabiduría con formas y contenidos diversos (por ej., más o menos «didáctica», «reflexiva» o «paradójica», como se presenta en los libros de Proverbios, Eclesiastés y Job), la que a su vez supone las prácticas concretas y contextualizadas de los sabios consejeros del antiguo Oriente Medio. Además, como forma especial de hacer teología, esta tradición bíblica consiste en la observación cuidadosa y el análisis de situaciones humanas específicas (la realidad de la muerte, dificultades en las relaciones interpersonales, etc.) a la luz del conocimiento disponible y en el marco normativo de la fe de Israel. De ahí que la clave hermenéutica sea «el principio de la sabiduría es el temor de Yahvéh». Para una presentación sistemática y documentada de este asunto, véase Schipani, *O caminho da sabedoria no aconselhamento pastoral*, *op. cit.*, cap. 2.

[73] Véase, por ejemplo, el ensayo de Pablo A. Jiménez, «Bases bíblicas y teológicas de la consejería pastoral», en Daniel Schipani y Pablo A. Jiménez,

considera meramente como un instrumento útil para la enseñanza y para el consejo pastoral, sino para contribuir de manera decisiva a definir las metas, los procesos, y el contenido mismo de ésos y otros ministerios. Por lo tanto, los que así ministran afirman el poder de la Escritura como agente de revelación e iluminación y cambio. Simultáneamente, han de permanecer conscientes de las situaciones específicas que abordan en sus respectivas prácticas y ser sensibles a las necesidades particulares y al potencial único de crecimiento de quienes se nutren con su servicio, dentro y fuera de la iglesia. Aclaremos sin embargo que la Biblia no se conforma a las metas del ministerio cristiano, sino al revés. Toda teoría y enfoque ministerial utilizado debe estar en consonancia con el poder de la Escritura de revelar sabiduría a la luz de Dios. Este principio supone la afirmación de que la Biblia es el texto de la iglesia por excelencia.

Las personas que tienen ministerios particulares, especialmente pastores y maestros, prestan especial atención a un proceso hermenéutico único cuya meta es el discernimiento sabio, la toma de decisiones sabias, y el sabio diario vivir. Reconocen que los procesos de enseñar, predicar, aconsejar y otros incluyen un encuentro dinámico con esos documentos vivos que son las narrativas de la vida de las personas a quienes sirven; incluyen una estructura inductiva análoga a la lectura del texto bíblico en términos de «ver, juzgar, y actuar». Reconocen además que tales procesos incluyen una forma especial de circulación hermenéutica que involucra no sólo la agenda personal de las personas en el contexto de sus familias y de sus realidades sociales, sino también la agenda del Reino de Dios en diálogo con las de la iglesia y la sociedad. Así orientados, los ministerios cristianos evitan todo uso literalista, fundamentalista y racionalista de la Biblia. Al contrario, los que así ministran procuran conducir una conversación multidimensional que parte de las historias y visiones personales y familiares de las personas a quienes se

eds., *Psicología y consejo pastoral: perspectivas hispanas*, AETH, Decatur, 1997, pp. 27-40.

sirve en medio de sus situaciones sociales y a partir de sus desafíos y luchas existenciales. Junto con la comprensión necesaria basada en las contribuciones de las ciencias sociales y del comportamiento humano, esa «conversación» incluye las perspectivas teológico-pastorales enraizadas en la historia viva del pueblo de Dios y en la visión esperanzada de su Reino. En síntesis, se trata del tipo de proceso que es a la vez práctico y teológico, es decir, una forma de hacer teología práctica en medio de la experiencia práctica.

Puede decirse que los roles de los pastores, consejeros, maestros, predicadores, y directores espirituales son fundamentalmente análogos: debemos actuar como intermediarios dignos y llenos de gracia en medio de la interacción de nuestra interpretación del consejo de Dios con las personas sobre quienes el ministerio se enfoca. «Consejo de Dios» aquí no significa meramente consejo piadoso, instrucción, y «palabras de sabiduría» (aunque a menudo el consejo pastoral debe incluir asesoramiento, instrucción, y dar palabra de sabiduría). Más bien, la expresión «consejo de Dios» se entiende aquí en el sentido de la realidad de la presencia, de la gracia y del poder divinos que resulta accesible a los participantes.[74] Por lo tanto, a la luz de semejante privilegio y responsabilidad, *las personas que ministran procuran nutrir su propia espiritualidad y crecer en sus maneras de ver y conocer, amar y vivir y trabajar, a partir de un sólido basamento bíblico.* O sea que su propio peregrinar por los caminos de la fe y el Reino de Dios, su propio diario vivir en la senda de la sabiduría, también debe fundamentarse en la Escritura.

---

[74] Este punto se explica lúcidamente en Ray S. Anderson, *Christians Who Counsel: The Vocation of Wholistic Therapy*, Zondervan, Grand Rapids, 1990, especialmente el cap. 6, «The Word of God as Empowerment for Change».

Cuarta pista:
La teología práctica debe atender al proceso creativo bajo la guía del Espíritu como clave del ministerio cristiano

> En la visión bíblica, la iglesia es una comunidad carismática; es decir, Dios la ha creado y la sostiene por los dones de su gracia ... En esta visión, la multiplicidad de ministerios es impresionante ... ejercer ministerios en la comunidad mesiánica es, en un sentido profundo, continuar con el ministerio de Jesús.[75]

La sabiduría a la luz de Dios es una dádiva que podemos recibir y compartir (e incluso mediatizar) por virtud de la gracia divina. Replanteado en términos de camino de sabiduría, la enseñanza y el consejo pastoral retan a los teólogos y consejeros a que consideren buscar, discernir, y adoptar señales y expresiones auténticas de sabiduría. La exploración interdisciplinaria nos conduce a percibir el proceso de enseñanza y de consejo primeramente como una versión muy especial del proceso creativo, incluyendo sus dimensiones de formación, recreación, sanidad y liberación. Conducido por el Espíritu Santo, este proceso debe reinterpretarse teológicamente y adoptarse de manera práctica en el ministerio cristiano.[76] Se desprenden dos principios adicionales.

Los maestros y los consejeros pastorales procuran participar en la praxis trinitaria divina que incluye las dimensiones de untir, guiar y sostener; liberar, reconciliar y sanar; y renovar, capacitar y potenciar. Lo hacen en cuanto ejercen un cuidadoso discernimiento espiritual y reflexión teológica en el contexto de

---

[75] Juan Driver, *op. cit.*, 1994, pp. 45-46.

[76] En relación con esta pista normativa, tenemos una deuda especial con James E. Loder. Véase, de este autor, *The Transforming Moment*, 2da. ed., Helmers & Howard, Colorado Springs, 1989, y *The Logic of the Spirit: Human Development in Theological Perspective*, Jossey-Bass, San Francisco, 1998. La labor interdisciplinaria pionera de Loder incluye una propuesta sobre cómo apreciar la dinámica de colaboración entre el Espíritu de Dios y el espíritu humano en una variedad de situaciones tales como las de la consejería y la psicoterapia.

su praxis ministerial, junto con la labor de cuidado y discipulado en contextos ministeriales específicos. De manera consciente y en actitud de oración, los maestros y los consejeros pastorales procuran la inspiración, el sostén y la dirección del Espíritu de Dios. Además, conciben su ministerio de sabios guías y consejeros como una labor de compañeros de trabajo, o colaboradores, del Espíritu. En otras palabras, reconocen que no tienen en sí mismos la capacidad de impartir crecimiento en cuanto al sabio vivir y al emerger humano a la luz de Cristo, pues sólo Dios concede sanidad y crecimiento, como Pablo les recordara a los corintios (1Co 3.7b). Sin embargo, también reconocen que, precisamente en su rol de maestros y consejeros, tienen una oportunidad muy particular de promover tal crecimiento mientras acompañan a las personas de maneras conducentes a la colaboración con el Espíritu, es decir, con iniciativa compasiva, hospitalidad inclusiva, capacitación y potenciación sensible, y una invitación generosa a la comunión y a la vida en comunidad. Es así como pueden enseñar y aconsejar en sintonía con el Consejero y Abogado divino Paracleto, quien nos recuerda el camino de Jesús y nos conduce a toda verdad (Jn 14.26; 16.13).

El consejo pastoral y la enseñanza deben percibirse, practicarse y enseñarse como fundamentalmente análogos a otras prácticas ministeriales tales como la predicación y la dirección espiritual. A la luz de este principio es como discernimos que existe una continuidad estructural entre las diversas artes ministeriales. Tales artes ministeriales tienen mucho en común porque todas comparten un patrón básico que resulta ser indispensable para estimular aprendizajes, convicción, formación y transformación. La dinámica de colaboración con el Espíritu de Dios incluye las siguientes dimensiones y movimientos que definen tal patrón y diseño común: 1) un compromiso de acompañamiento y disposición a colaborar que posibilita la creación de espacios seguros y contextos de confianza y apoyo dentro de los cuales podemos ejercer ministerios de discipulado y cuidado mutuo; 2) la invitación a las personas a compartir sus historias y sus visiones; 3) reflexión y discernimiento, incluyendo la ponderación de posibles resoluciones y que da lugar a la obra de la imaginación; 4) acceso explícito a los recursos de la comunidad sanadora (sus recursos bíblicos, enseñanzas y prácticas); 5) un movimiento de apropiación, que invita a comprender, juzgar y tomar decisiones a la luz de (2), (3) y (4); y 6) un compromiso de acción, incluyendo la orientación para implementar las decisiones y elecciones realizadas en colaboración, con la expectativa de responsabilidades compartidas a la luz del propósito de vivir sabiamente.

Quinta pista:
La teología práctica debe orientarse hacia el Reino de Dios

> El Reino de Dios ha sido inaugurado por Jesucristo. Los que ya participamos por la fe en la vida del Reino, comenzamos a practicar la justicia que es propia del Reino, anticipando la vida del Reino que se manifestará cuando llegue en toda su plenitud al final de los tiempos.[77]

El símbolo del reino apunta a la visión y la promesa de una nueva creación y una nueva humanidad en libertad, justicia, paz, bienestar y plenitud de vida, primordialmente como dádiva divina que, aunque parcialmente presente ya, se realizará en última instancia escatológicamente, más allá de la historia.

Los maestros y los consejeros pastorales procuran instrumentar la convicción de que el contexto definitivo, o último, de la sabiduría —incluyendo sabiduría para discernir bien, y operativa en el proceso mismo de discernir, guiar, crecer, reconciliar, sanar, liberar y vivir en plenitud humana— es la cultura del Reino de Dios. Postulamos que participar en tal cultura requiere, pero al mismo tiempo posibilita, el diario vivir sabiamente a la luz de Dios. La afirmación de los fundamentos bíblicos y teológicos que hemos propuesto, especialmente cuando relacionamos directamente las dos nociones bíblicas claves —Reino de Dios y sabiduría divina— sugiere a su vez la presentación de dos principios adicionales para todo educador cristiano y consejero pastoral que ministra en el espíritu de la cultura del Reino.

---

[77] Juan Driver, *Militantes para un mundo nuevo*, Ediciones Evangélicas Europeas, Barcelona, 1978, p. 44.

Los maestros y los consejeros pastorales permanecen conscientes de que su labor ministerial siempre ocurre dentro del contexto sociocultural de la iglesia y de la realidad social en que ésta está inmersa. Postulan que el Reino es de hecho una realidad sociopolítica y cultural, una manera de vivir que puede manifestarse en cualquier cultura histórica. Además, postulan que el Reino de Dios puede adaptar y también corregir otras formas culturales existentes (¡incluyendo, desde luego, las de la propia iglesia!): las relaciones, los sistemas, las prácticas, las dinámicas de poder, los valores, las creencias, y los ideales pueden confrontarse, afirmarse y transformarse a la luz de la sabiduría de Dios. La triple declaración de que Jesús es el camino, la verdad, y la vida (Jn 14.6) evoca tres componentes del Reino que sirven al consejero pastoral a manera de marco referencial y de horizonte: a) el discernimiento que produce sentido y significado disponible para las personas que necesitan el consejo pastoral (o sea, el camino que Jesús vino a ser y a compartir); b) una justicia encarnada en la fidelidad y las estructuras morales del pueblo de Dios (o sea, la verdad, que Jesús vino a ser y a crear); y c) un sentido de identidad comunicado por medio de una historia en la que cada persona participa, con la esperanza que nos compele a valorar la vida y amar la comunidad (o sea, la vida que Jesús vino a ser y a ofrecer).[78]

Los maestros y consejeros pastorales están llamados a ser agentes éticos de la cultura del Reino de Dios. Su práctica ministerial es a la manera de cartógrafos y guías personales hacia una cultura mejor[79]. De acuerdo con su lealtad primaria y sus compromisos normativos, procuran dar consideración específica a las dimensiones éticas de su ministerio. Tales dimensiones

---

[78] Anderson, *op. cit.*, pp. 86-102.

[79] Estas nociones están tomadas de la contribución de Alvin C. Dueck en *Between Jerusalem and Athens: Ethical Perspectives on Culture, Religion, and Psychotherapy*, Baker House, Grand Rapids, 1995, especialmente la primera parte. Véase también Anderson, *Christians Who Counsel, op. cit.*, cap. 5, «The Kingdom of God as Therapeutic Context».

incluyen no solamente la ética profesional en sentido restringido, y los valores personales y normas de conducta, sino también la pertinencia comunal y sociopolítica de su ministerio como sabios maestros y consejeros.

Finalmente, el Reino que viene puede manifestarse en diferentes formas y a diferentes niveles. Como «cultura ética», la historia y la visión del Reino de Dios proveen la narrativa y el contexto visional para los educadores y los consejeros en tanto agentes éticos. El Reino es esa historia y visión materializada en formaciones culturales creativas y liberadoras. Tal cultura del Reino resulta indispensable porque incluye una perspectiva crítica sobre las culturas dominantes y las sabidurías menores (meramente pragmáticas y convencionales) de nuestro mundo cada vez más globalizado. La iglesia, por su parte, está llamada a ser una comunidad de sabiduría (Ef 3.10) y sacramento del Reino en medio de sus prácticas y reflexiones sobre lo que significa y lo que implica ser humanos en el siglo 21. Las personas y las familias están invitadas a compartir la vida a la luz de la sabiduría y el Reino de Dios. Y el carácter personal del sabio maestro y consejero, por su parte, ha de estar moldeado por las prácticas, las narrativas y el discernimiento de la comunidad de fe.

12

IMPLICACIONES ÉTICO-TEOLÓGICAS
DE LA RECONCILIACIÓN

César Moya

Introducción

El problema del término «reconciliación» ha consistido en pasar por alto sus implicaciones éticas, siendo considerado por algunos como parte de toda una ideología moralista y tradicional que sacraliza el orden y los poderes. De ahí que se hace necesario discernir en medio de aquellas definiciones y prácticas que legitiman sistemas e ideologías injustas, marginan a las víctimas y sacralizan la violencia.

La reconciliación debe ser un proceso que desenmascara y desacraliza los poderes y el orden actual; que evidencia la victoria del Cordero sobre los poderes (Ap 7; 12.10-12; 21.22-27). Asimismo, debe ser «buenas noticias» tanto para las víctimas como para aquellos victimarios que se arrepienten y convierten de sus injusticias, pero una condenación para quienes no quieren bajarse de sus tronos; tanto para víctimas como para victimarios es experimentar la visitación del Dios de la vida, la paz y la justicia (Lc 1.46-53).

En este ensayo, como homenaje a Juan Driver, maestro en la teología de la reconciliación, presento cinco implicaciones ético-teológicas de la reconciliación a partir de una lectura del anabautismo y del contexto latinoamericano, lo cual espero brinde orientación a las iglesias en sus respectivas sociedades divididas.

1. La fe dinámica

Donde pareciera que no hay salidas al conflicto, donde reina la impunidad y no se hace justicia para las víctimas, la fe se convierte en un elemento que genera esperanza y permite creer que la reconciliación es posible. Tanto en el Antiguo como en el Nuevo Testamento la fe es una respuesta del pueblo de Dios en obediencia, persistencia, confiabilidad, fidelidad y compromiso con los actos de Dios (Ro 1.17; Gá 3.11), siendo sujetos de la misma los pobres y marginados. Este concepto está relacionado con la esperanza de que los hechos de salvación del pasado se darán en el futuro, como anticipo de una nueva vida para quienes sufren (Heb 11).

Tener fe en contextos como el latinoamericano, donde hay muertos, viudas, huérfanos, la justicia no funciona y la impunidad parece reinar, no sólo consiste en anhelar un futuro donde desaparezca la explotación y la miseria y donde reine la paz, fruto de la justicia, sino mirar lo positivo del pasado y del presente. Allí encontramos los valores de la solidaridad y la vida en comunidad de nuestros pueblos autóctonos y los esfuerzos en diferentes partes frente a las injusticias y la violencia. Dentro de ellos, los de algunas iglesias.

Para desarrollar la fe en contextos de guerra o posguerra no basta con sentir y pensar sino que se debe actuar trayendo cambios tanto en las víctimas como en los victimarios. Para esto se hace necesario que, quienes creyéndonos concientizados entendemos que es posible otra forma de relación entre los seres humanos diferente de la violencia, asumamos nuestro papel como tales, tanto para con las víctimas como para con los victimarios, hacia un proceso de reconciliación como proceso de liberación: liberación de seguir siendo victimario y liberación de seguir siendo víctima; liberación de la impunidad.

Dar lugar a esa fe es aceptar que Dios es el sujeto de la reconciliación (Col 1.19-20), que nosotros somos objeto de ella y que nos abarca a todos por igual. Se puede conocer todas las técnicas y haber aprendido de las experiencias propias y de otros, pero humanamente no se puede garantizar la reconciliación, aunque siempre se tenga como meta, ya que depende no sólo de uno sino del otro. De ahí que la fe se hace necesaria.

2. Conservación del medio ambiente y reparación de los daños causados

La reconciliación integral requiere una relación de respeto y cuidado por la naturaleza y el sistema ecológico.[80] Esta dimensión se desarrolla a partir del reconocimiento de que los seres humanos no pueden reconciliarse plenamente con Dios al vivir en una relación destructiva con la creación. El salmista dice: «de Jehová es la tierra y su plenitud» (Sal 24.1). Y Levítico dice: «porque la tierra es mía y vosotros como forasteros y extranjeros sois para mí» (Lv 25.23-24). Esta relación se ve reafirmada aún más al revisar la relación entre la tierra y los seres humanos prevista en Génesis (Gn 2.7; 2.8,15).

Según lo anterior no se puede destruir la tierra y el medio ambiente y al mismo tiempo estar reconciliado y en paz consigo mismo y con otros. Las actividades perjudiciales hacia la tierra y su ecología son equivalentes no sólo a hacerse daño a uno mismo sino a hacerle daño a otros seres humanos. Ejemplo de esto son los conflictos que han adquirido carácter bélico donde, bajo el dominio de un espíritu de carrera armamentista, se destruye no sólo la vida humana sino toda forma de vida.

El reto que se nos presenta a quienes deseamos un mundo en paz y con justicia es que muchos de los daños causados a los ecosistemas[81] en los conflictos armados no tienen prohibiciones

---

[80] Esta dimensión de la reconciliación está inmersa en la cosmovisión de los pueblos indígenas de los Andes. Ellos enfatizan su relación con el Creador al hablar de la «Pachamama» o «madre tierra», pues consideran que «allí está la vida, la esperanza renovada, la alegría». La Pachamama es «la vida que genera vida» pues únicamente algo que tiene vida puede generarla. Por lo tanto, la Pachamama es sagrada, y destruirla es destruirse a sí mismo. Para ampliar este concepto véase Victoria Carrasco, «Antropología indígena y bíblica. Chaquiñán andino y Biblia», Ribla 26 (1997):24-44.

[81] Una de las causas es el empleo de minas antipersonales. Se estima que en total hay 65 millones de ellas que siguen amenazando a la población y a la vida salvaje en 56 países, de Angola a Nicaragua, de Eritrea a Lao. Véase UNESCO 2000. Los atentados a los oleoductos por parte de los grupos guerrilleros como estrategia de guerra (caso de Colombia) traen como consecuencia el derrame de petróleo que contamina las aguas de muchos

para prevenirlos, y menos en los conflictos internos de las naciones. El papel de la iglesia debe ser, entonces, crear conciencia ecológica, pero en especial educando más a la sociedad sobre la conservación del medio ambiente, teniendo en cuenta que «una relación ética con la tierra no puede existir sin amor, respeto y admiración por ella y sin una alta estima por su valor».[82] La iglesia debe proclamar «la salvación del mundo y no tan sólo de los seres humanos» y que «la comprensión del hombre [ser humano] de la naturaleza sólo es posible mediante una comunión del hombre con ella».[83] Es necesario forjar una conciencia de especie si es que queremos sobrevivir en condiciones aceptables; conciencia de ser una sola humanidad, viviendo en una sola tierra.[84] Y también la conciencia de ser una especie dentro del concierto de cientos de miles de especies vivas que pueblan este planeta.[85]

3. El perdón como acontecimiento social

El concepto bíblico del perdón se relaciona con los conceptos de misericordia (Mt 9.13; 12.7; 18.33; 23.33; Ef 4.32; Col 3.13) y jubileo en relación con deudas económicas y ofensas (Mt 5.25-26; 5.40). Es una expresión de hacer el bien al necesitado y la posibilidad de un nuevo inicio en las relaciones (Mt 6.12, 14).

---

afluentes. Véase Resistencia Civil Democrática 2002. Al mismo, tiempo las fumigaciones con glifosato contra las plantaciones de coca en el sur de Colombia como una estrategia para contrarrestar la economía de la guerrilla tienen efectos dañinos no sólo sobre el suelo sino sobre la salud de la población que vive en la frontera colombo-ecuatoriana. Para ampliar esta información, consúltese Kintto Lucas, «Denuncian la fumigación con glifosato por parte de las Fuerzas Armadas de Colombia», 17 de octubre de 2000.

[82] Aldo Leopold, «Una ética de la tierra», en *Pensamiento verde: una antología*, de Andrew Dobson, ed., Trotta, Madrid, p. 150.

[83] Paul Tillich, *Se conmueven los cimientos de la tierra*, Libros del Nopal de Ediciones Ariel, Barcelona, 1968, pp. 125-126.

[84] El lema de la primera «cumbre de la tierra» en Estocolmo, 1972.

[85] Jorge Riechmann Riecheman, «La agricultura química moderna y los atentados del 11 de septiembre», en *Revista La Voz del Manatí* 22 (2001): 33-34.

Debe ser experimentado como un poder que sana los sentimientos y la forma de relacionarse con otras personas, tal como nos lo recuerda la oración del Padre Nuestro: sin perdonar al otro no se puede experimentar el perdón de Dios (Mt 6.12). Y aunque no haya el sentir de hacerlo, eso no significa necesariamente que no debe hacerse, sobre todo cuando está en juego el bienestar de toda la comunidad no sólo local y nacional sino internacional, aunque hay que reconocer que es una de las tareas más difíciles. Es un acto de la voluntad.

El perdón tiene una dimensión holística. Es un compromiso de desaprender y aprender a vivir en comunión con Dios, con otros y con toda la creación. Es una señal de la paz original de la creación de Dios, así como la promesa de la consumación de la creación en el Reino de Dios. Si tuviéramos en cuenta la esencia del ser humano, que «mi humanidad está inextricablemente ligada en ustedes»,[86] es decir, que somos personas a través de otras personas, no atentaríamos contra la vida de otros.

En los conflictos sociales, el perdón debe ser entendido como un acontecimiento social, lo cual lleva a entender el pecado de la misma manera, como un acontecimiento social, que está en la estructura social, que influencia la conciencia de los participantes de una sociedad y cuya expresión máxima es la violencia. Siendo así, el perdón social vendría entonces a ser la capacidad no sólo de examinar las estructuras sociales sino de influenciarlas buscando la justicia y la igualdad entre los seres humanos.

En contextos de posguerra, la iglesia juega un papel importante dado el elemento religioso que la sociedad tiene en general. Sin embargo, no es fácil para la iglesia hablar de perdón cuando ella misma ha tergiversado el concepto,[87] consentido in-

---

[86] Desmond Tutu, *No Future Without Forgiveness*, Doubleday, Nueva York, 1999, p. 31.

[87] Perdonar no es excusar o pasar por alto el daño recibido ni apoyar conductas que le causan dolor a la víctima. Tampoco es la reconciliación en sí; se puede perdonar pero no necesariamente reconciliarse, pues nadie garantiza que el ofensor cambie o esté dispuesto a reconocer su falta. Tampoco significa aceptación de la otra persona; ofrecer perdón es al mismo tiempo condenar el hecho y acusar al hacedor; es al mismo tiempo admitir

justicias o se ha silenciado ante ellas, especialmente a partir de la constantinización, bajo el pretexto de tener las llaves del Reino (Mt 16.18-19), la reducción verticalista del concepto y la fijación sobre el pecador antes que en la víctima. «La tendencia en la iglesia ha sido separar lo espiritual de lo material al decir que los cristianos deben perdonar y Dios se encargará del resto»,[88] lo cual se constituye en un obstáculo para la justicia en los procesos de reconciliación. Igualmente, la iglesia debe cambiar el concepto de gracia barata diciendo a los victimarios que basta para ellos con aceptar a Cristo para tener el perdón.[89] A pesar de lo anterior, las iglesias deben ejercer un ministerio pastoral sustentado en el trabajo por la búsqueda de la verdad, que mueva a la sociedad a reconocer su pecado y la necesidad de la ayuda y del cuidado de Dios.

4. Cambio de orden o transformación social

La reconciliación se relaciona con una nueva creación (2Co 5.17-18), lo cual significa una nueva realidad social sustentada en el nuevo orden de Dios y que trae como consecuencia una transformación del contexto en que viven las personas, sin dejar de lado las experiencias particulares. Debemos estar convencidos que la liberación de Cristo debe abolir cualquier esclavitud (Gá 5.1) como evidencia del cambio radical. Sin embargo, ese cambio no debe ser impuesto de manera violenta, porque lo que expresamos es que estamos bajo un nuevo orden que permite vivir el presente de manera renovada.

El orden social de América Latina es un orden hecho económica, política e ideológicamente por unos pocos y para beneficio

---

el daño y aceptar la culpa. Tampoco es olvidar (del griego *amnestía).* En este sentido los responsables de lo ocurrido no tendrían que pagar el daño causado ni responder a acusaciones. En términos políticos, el perdón tomará la forma del indulto, esto es, responsabilizar al victimario pero sin que reciba el castigo total y dejando las puertas abiertas a un juicio.

[88] Paul Jeffrey, *Recovering Memory: Guatemalan Churches and the Challenge of Peacemaking,* Life and Peace Institute, Uppsala, 1998, p. 74.

[89] *Ibíd.,* p. 78.

de ellos mismos, que hacen uso de la violencia institucionalizada, un uso indiscriminado de la fuerza (prisión, masacre, torturas, etc.) y violan sistemáticamente los más elementales derechos humanos. Todo esto controlado por ideologías y teologías que pretenden justificar esa dominación. De ahí que es imposible que las víctimas a quienes no se les ha reivindicado sus derechos caminen junto a sus victimarios o que quienes ejercen violencia quieran obligar por sus medios ideológicos que los violentados caminen junto a ellos; no se puede, desde los que sufren, caminar junto a quienes los oprimen, a no ser que éstos se arrepientan y se conviertan.

De acuerdo a lo anterior se puede decir que la reconciliación no va a ser concreta si no desaparece la inequidad. Si sigue habiendo oprimidos y opresores, el conflicto destructivo se mantendrá latente, y entonces la verdad, la justicia y la reparación no producirán cambios en el sistema. Por eso, una reconciliación genuina debe traer como resultado cambios, no sólo en lo individual sino en lo social, en lo económico y en lo político, lo cual lógicamente debe estar basado en una ideología de un mundo de iguales y una teología cuestionadora y desacralizadora del sistema imperante.

La reconciliación se debe acompañar con cambios radicales que van desde la conversión de las mentes y sentimientos hasta la transformación de las estructuras políticas, económicas y sociales que distorsionan las relaciones humanas y las hacen injustas y violentas. Hoy más que nunca se necesitan comunidades de creyentes que implementen un nuevo orden de cosas, personas totalmente renovadas, en estructuras radicalmente revolucionarias y que, incluso, lleguen a ser consideradas subversivas a los sistemas injustos y violentos, que luchen por la transformación social de una manera no violenta.[90]

---

[90] Juan Driver, «Actividad misionera: modelos anabautistas del siglo XVI y su vigencia para hoy», en *Anabautismo latinoamericano: desafíos para el siglo XXI - Misión Presencia Pública Liderazgo*, Consulta Anabautista Latinoamericana y IX Congreso Menonita Cono Sur, San Lorenzo, Paraguay,

5. Equidad de género y abolición de la discriminación étnica, racial y cultural

La obra de Cristo en la cruz trae como consecuencia la abolición de la discriminación étnica y de género, y por ende una sociedad de iguales e inclusiva (1Co 12.13-14; Gá 3.21, 23; Ef 2.14-16). Es obligación tratar la equidad de género[91] y la abolición de la discriminación étnica, racial y cultural, ya que tanto los pueblos originarios como las mujeres han sido las más víctimas entre las víctimas en los contextos de guerra latinoamericanos.[92]

La inequidad de género está relacionada con la injusticia social y con el patriarcado,[93] lo cual se manifiesta en la guerra. En

---

9 al 14 de febrero de 1999, Ediciones SEMILLA, Ciudad de Guatemala, 2000, p. 25.

[91] Se refiere a los aspectos psicológicos, sociales y culturales que se adjudican a las personas básicamente de acuerdo con su sexo.

[92] Las comisiones de la Verdad coinciden en señalar que aproximadamente un cuarto de las víctimas directas de las violaciones de derechos humanos y hechos de violencia fueron mujeres y dentro de ellas un número considerable de mujeres indígenas. Ellas no sólo murieron sino que también fueron desaparecidas, torturadas y violadas por parte de los integrantes de los grupos armados. Miles de ellas perdieron a sus esposos e hijos, quedándose a cargo de los huérfanos, enfrentando la devastación que produjo la guerra al acabar con casas y cultivos que eran fuente de subsistencia de las familias. Las comisiones de la Verdad han identificado el impacto diferenciado de la violencia, no sólo en cuanto a género sino en cuanto a raza y etnia. Para ampliar esta información, consúltese «Comisión para el Esclarecimiento Histórico», *Guatemala, memoria del silencio: informe de la comisión para el esclarecimiento histórico*, UNOPS, Ciudad de Guatemala, 1999, p. 28, y Comisión de la Verdad y Reconciliación VIII, *Informe final*, Comisión de Verdad y Reconciliación, Perú, 2003, pp. 45-100.

[93] Se llama así a toda la organización política, económica, social y religiosa que relaciona la idea de autoridad y de liderazgo principalmente con el varón, y en el que éste desempeña la gran mayoría de puestos de autoridad y dirección. Toma el nombre del *paterfamilias*, quien era el padre de familia que controlaba y guiaba los destinos de la casa. Es el padre de familia considerado cabeza de la familia y de quien depende toda su familia. Por supuesto, esto implicaba un sometimiento de la mujer. De ahí que

esta mentalidad y estructura patriarcal están los arquetipos de rey, guerrero, mago y amante que refuerzan los comportamientos violentos de los hombres.[94] La inequidad de género también está relacionada con la masculinidad que violenta, además de a las mujeres, a otros hombres y a la naturaleza, legitimada por el modelo patriarcal, llevando a asumir normas que desfiguran la humanidad.[95] Asimismo, la discriminación de la mujer y la inequidad de género están estrechamente vinculadas a aquellas teologías que han enfatizado el sufrimiento como inherente a la salvación, promoviendo el silencio de las mujeres que sufren violencia,[96] legitimando las injusticias y la violencia contra ellas.

---

cuando un *paterfamilias* se convertía al cristianismo, toda su casa, su familia y esclavos, también.

[94] En el contexto del conflicto interno, los varones están marcados por un modelo de masculinidad «guerrera», caracterizado por el ejercicio de la violencia, la agresividad y la exhibición de la fuerza, de manifestación de poder. El hombre era visto como el guardián del orden y de la patria, mientras que la mujer era vista como la guardiana del hogar. Para ampliar esta información consúltese la Comisión de la Verdad y Reconciliación VIII 2003, p. 46.

[95] Por ejemplo, considerarse autosuficiente, creerse con derecho a supervisar y controlar, reprimir lo femenino dentro de él, tal como lo relatan los informes de las Comisiones. En los testimonios brindados en las audiencias públicas, se observó que las mujeres lloraban y se quejaban al contar las experiencias, lo que no sucedió con los hombres, quienes más bien tenían dificultades para expresar sus sentimientos y emociones. Ellos reprimían el llanto y no eran detallistas. Para ampliar esta información, consúltese la Comisión de la Verdad y Reconciliación VIII 2003, p. 51.

[96] De ahí el valor del trabajo de las comisiones de la Verdad al haber brindado los espacios para que las mujeres acudieran a dar testimonio de lo que había sucedido, contribuyendo de esta forma a salir del silencio a que habían sido sometidas durante la guerra. Quienes más acudieron a rendir declaraciones en las audiencias públicas fueron las mujeres, además de que sus testimonios estaban llenos de detalles, lo cual contribuía a reconstruir los hechos. Para ampliar esta información consúltese la Comisión de la Verdad y Reconciliación VIII 2003, p. 51.

Por otro lado, la equidad de género, tiene que ver con la «democracia genérica»[97] la cual implica replantear el modelo patriarcal para enfrentar con éxito los problemas del mundo, con base en la igualdad, la equidad, la justicia y la libertad. Para lograrla, se requieren cambios jurídicos y del Estado que eliminen la discriminación a las mujeres por medio de una pedagogía democrática, interpretaciones no sexistas, una desmitificación de lo femenino y un enfrentamiento al patriarcado. Esta tarea también le corresponde a la iglesia.

Como consecuencia de lo anterior, la iglesia debe replantear las formas de ser creyente, teniendo en cuenta una perspectiva de género y otros modelos bíblicos donde hay otra manera de entender a Jesús, quien supera los dualismos de género al tratar por igual a mujeres y hombres, incluyendo a los marginados y a los pobres. Asimismo, es importante que la iglesia afirme la equidad de género a partir del relato de la creación (Gn 1.27). El error que se ha presentado en nuestras iglesias al leer este texto es que se ha leído de forma tradicional «Y creó Dios al hombre», olvidándose de lo que sigue y de la connotación genérica de ser humano, enfatizando el orden jerárquico Dios-hombre-mujer-infantes-naturaleza, lo cual ha querido legitimar la desigualdad de género. Se ha limitado la imagen y forma de hablar de Dios a un cuerpo físico: ojos, manos, pies, etc., olvidándose de las imágenes de justicia, creatividad, amor, solidaridad, paz, respeto, igualdad. Lo anterior ha llevado a que desde la iglesia se realicen lecturas inapropiadas para los contextos de marginación y violencia de nuestros pueblos, haciendo que el hombre asuma roles de victimario opresor sobre otros hombres y en especial sobre las mujeres.

A pesar de lo anterior, también es necesario el rescate de una imagen femenina de Dios, a la par de la masculina predicada por las iglesias. Hacer lo anterior implica una reformulación teológica que, entre otras cosas, quite de su léxico los términos discriminadores y que confronte a quienes se han creído los pri-

---

[97] Este concepto es desarrollado por Marcela Lagarde en *Género y feminismo: desarrollo humano y democracia*, horas y HORAS, Madrid, 1997.

vilegiados de Dios. Sin embargo, lo anterior no será posible sin hacer una relectura de los textos bíblicos en una perspectiva distinta a la masculina y a la que se hace desde el poder. Debe ser una lectura desacralizadora de los sistemas que marginan y excluyen. Debe plantear nuevas teologías que cuestionen tanto a hombres como a mujeres en sus roles como entes activos en el Reino de Dios y no en sus roles que han sido estereotipados en las diferentes sociedades patriarcales.

Igualmente, se hace necesario trabajar hacia la abolición de toda discriminación étnica, racial y cultural. En los conflictos latinoamericanos, quienes más sufren de discriminación son las poblaciones indígenas y personas mestizas campesinas.[98] No sólo se ejerce violencia física sino violencia simbólica sobre la base de un profundo desprecio étnico y racial, siendo las mujeres quienes más lo padecen. Es decir, el criterio de exteriorización racial es usado para la selección de las víctimas.[99] Todo lo anterior está relacionado con la condición económica y social.

Para abolir la discriminación étnica, racial y cultural es imprescindible entonces que el Estado tome en cuenta a las poblaciones originarias, promueva la participación social y política de los indígenas, lleve a cabo la regionalización administrativa coherente con la identidad étnica, garantice la protección de los derechos individuales y colectivos de los indígenas, respete la multiculturalidad y promueva las relaciones interculturales.[100]

---

[98] Para ampliar esta información consúltese la Comisión de la Verdad y Reconciliación VIII 2003, p. 102.

[99] Evidencia de esto es que los que tenían apellidos indígenas fueron quienes aparecieron con más frecuencia como víctimas de la guerra. Para ampliar esta información, consúltese la Comisión de la Verdad y Reconciliación VIII 2003, p. 131.

[100] Dentro de las recomendaciones brindadas por las comisiones de la Verdad está el establecimiento de becas y financiación del Estado para la formación y especialización de profesionales indígenas. Para ampliar esta información, consúltese la Comisión para el Esclarecimiento Histórico V 1999, p. 81. El problema que veo es que con estas medidas no se está promoviendo el amor hacia su cultura, raza y etnia, sino que más bien está llevando a que las poblaciones originarias se capaciten con una cosmovisión occidental que es, desde éste punto de vista, la que ha impuesto la

Las iglesias, por su parte, deberían ser comunidades de fe antirracistas, que revisen y cambien el modelo de estructura y organización concebida desde los blancos y mestizos y para ellos. Esto implicaría una revisión de la liturgia con todos sus elementos, así como fomentar comunidades que incluyan indígenas y afrodescendientes, en lugar de considerar a estas poblaciones como objeto de las «misiones». Asimismo, la iglesia debe erradicar de su discurso la teología de la prosperidad. Tal práctica tiene un fuerte elemento discriminatorio hacia los pobres y las poblaciones originarias identificándolos como pecadores, a diferencia de los ricos y poderosos, blancos y mestizos, a quienes se les considera, por su éxito en una economía globalizada, como los que están en una correcta relación con Dios. La iglesia debe enfatizar que es una comunidad para todos y todas, y que su misión es ser de bendición a todas las naciones, a todas las etnias, todas las razas, todas las culturas (Gn 12.2).

Conclusión

He presentado, a partir del anabautismo y el contexto latinoamericano, cinco implicaciones ético-teológicas de la reconciliación social: la fe dinámica, la conservación del medio ambiente y la reparación del daño que se le ha causado, el perdón como acontecimiento social, el cambio de orden o transformación social, y la equidad de género y la abolición de la discriminación étnica, racial y cultural. Las anteriores implicaciones unidas a otras no menos importantes[101] ayudarán a orientar la acción de la iglesia en dichos procesos, aunque no cabe duda que el diálogo sigue abierto, siempre con la esperanza de tener un mundo con justicia y menos violencia, un mundo en paz, como expresión de la obra reconciliadora de Cristo.

---

violencia en nuestros mismos pueblos, es decir, que estas personas que se capacitan van perdiendo su identidad.

[101] Otras implicaciones son: la verdad paradójica, la justicia restaurativa, la reparación integral y la paz sostenible. Para ampliar estos conceptos, consúltese César Moya, *Reconciliación social en América Latina: una lectura ético-teológica de los informes de las Comisiones de la Verdad de Guatemala, El Salvador y Perú comparada con el anabautismo contemporáneo*, tesis, Universidad Bíblica Latinoamericana, San José, 2005.

13

Notas anabautistas
para una misionología latinoamericana

Samuel Escobar

Cuando mi hijo Alejandro pasó unos meses como voluntario del Comité Central Menonita en Santa Cruz, Bolivia, tuve la alegría de visitarlo y observar la vida comunitaria de los voluntarios. Recuerdo la impresión que me causó el hecho de que en la casona que compartían había sólo dos vehículos para un grupo mucho más numeroso de personas, de manera que el uso de los automóviles se regía por un sistema que era comunitario. Había una lista y quienquiera necesitara un coche se anotaba y cuando lo devolvía, anotaba también el recorrido que había realizado. La naturalidad con que se hacían las cosas era evidencia de una larga práctica, una forma de vivir en la cual se compartían los bienes. Era un contraste evidente con otros misioneros estadounidenses cuya vida había tenido oportunidad de observar en la misma ciudad. El automóvil para ellos era propiedad individual, algo, por así decirlo, «sagrado» que a nadie se le ocurriría siquiera pedir prestado. Estos misioneros proyectaban la privacidad de su persona a su automóvil. En realidad era un contraste entre dos estilos misioneros: el del típico individualismo occidental y el de los menonitas con su larga tradición de vida comunitaria forjada en siglos de persecución y sufrimiento.

Este contraste vino a mi memoria al reflexionar sobre el número creciente de latinoamericanos que van entrando en la tarea misionera a nivel global. Como he señalado en otros escritos,[102] las cifras más recientes de que disponemos indican que

---

[102] Samuel Escobar, *Tiempo de misión*, Ediciones SEMILLA, Ciudad de Guatemala, 1999, cap. 4.

hay 3.921 misioneros latinoamericanos en otras partes del mundo, enviados por 284 organizaciones.[103] Tales cifras no incluyen numerosos esfuerzos espontáneos, y tampoco incluyen a los emigrantes que llevados por su fe y entusiasmo desarrollan obra misionera en el país al cual emigran. Esta participación relativamente nueva tendrá que tomar formas diferentes a las que hasta ahora se conocen, porque se trata de la misión desde países pobres que no son potencias dominantes en lo económico, tecnológico o cultural. En realidad es una misión que podría describirse con la expresión «desde abajo» por el contraste con la misión «desde arriba» que parte de los países poderosos.

Más concretamente en el caso de Latinoamérica, los modelos de misión que se han conocido han sido, por ejemplo, los del misionero como agente modernizador, poseedor de recursos materiales abundantes y privilegiado como ciudadano de un país poderoso, sostenido por iglesias u organizaciones con un buen nivel económico y una organización sofisticada. Esto ha significado que aunque casi toda empresa misionera pretende seguir modelos bíblicos, su carácter de misión «desde arriba» la pone en situación de privilegio si se compara con la misión de la época del Nuevo Testamento. Esta fue una misión «desde abajo», llevada a cabo por personas que no representaban un país poderoso o una cultura superior ni tampoco una situación de afluencia económica. La misión desde África, Asia o América Latina en el siglo 21 tendrá que parecerse más a la misión de la época del Nuevo Testamento que a la misión anglosajona y europea de los siglos 19 y 20.

La experiencia histórica de los anabautistas fue la de comunidades que tuvieron que vivir su fe y seguir a Jesús en el mundo de la persecución y la marginación por la naturaleza radical de su fe. Al rechazar la alianza entre iglesia y poder político, y el ejercicio de la violencia con fines religiosos, propios de la experiencia constantiniana vigente para católicos, luteranos y calvinistas, los anabautistas optaron por un estilo de vida dispuesto

---

[103] Ted Limpic, *Catálogo de organizaciones misioneras iberoamericanas*, COMIBAM-Unilit, 1997, p. 191.

al sufrimiento. Al insistir en el seguimiento de Jesús, redescubrieron la validez del modelo de discipulado del Nuevo Testamento en una experiencia cristiana que suponía una decisión y una opción por Cristo rechazando la visión y los valores de la sociedad ambiente. Como dice Yoder,

> Aceptaron el desafío de crear una comunidad ordenada, capaz de sobrevivir «contra la corriente». De hecho, solamente estas comunidades ordenadas pudieron sobrevivir a lo largo de los siglos; sólo ellas ganaron centenares de miembros en docenas de lugares y dejaron documentos no únicamente de visión teológica sino de experiencia vivida.[104]

El trabajo de reflexión teológica de Juan Driver nos ha devuelto de manera articulada y con frescura la visión anabautista de la iglesia y su misión. Aquí hago especial referencia a dos de sus libros: *Pueblo a imagen de Dios ... : hacia una visión bíblica* y *Contracorriente: ensayos sobre eclesiología radical*. El primero es un trabajo de teología bíblica que nos ofrece un recorrido eclesiológico por toda la Biblia, mientras que el segundo está más en la línea de una teología histórica. Hay que señalar que estos libros, fruto de su sentido de identidad como menonita pero también de su práctica misionera de varias décadas, constituyen un aporte original que se destaca entre los trabajos de reflexión eclesiológica evangélica que van apareciendo en América Latina. Por ello puede servirnos para explorar nuevas perspectivas para la obediencia misionera que se va gestando en tierras iberoamericanas en el siglo 21. Con gratitud y alegría fraterna dedico a Juan Driver este ensayo de diálogo con su obra.

Eclesiología y misión en la visión anabautista

Una de las notas que Driver atribuye a la eclesiología anabautista, contrastándola con la de católicos y protestantes, es el principio que la tarea misionera de propagación de la fe es de

---

[104] John H. Yoder, «Introducción general» a *Textos escogidos de la Reforma Radical*, La Aurora, Buenos Aires, 1976, p. 29.

todos los miembros de la iglesia, y que no se reduce a un grupo selecto y autorizado para ello «Entre los anabautistas del siglo XVI, con su concepto diferente de iglesia, surge una visión y una práctica misioneras notablemente diferentes de las del protestantismo clásico y del catolicismo medieval.»[105] Según Driver, entre los católicos, las órdenes religiosas que fueron los cuerpos misioneros se veían a sí mismas como una nueva minoría profética dentro de la iglesia establecida. Por otra parte, en el seno del protestantismo, los pietistas del siglo 18, de entre los cuales surgió el movimiento misionero moderno, se vieron a sí mismos como «conventículos de auténtica espiritualidad a fin de leudar las masas bautizadas de la cristiandad».[106] A diferencia de las órdenes religiosas y los movimientos pietistas,

> los anabautistas pensaban que Dios estaba restaurando a su pueblo. Y ellos eran testigos de su intención salvífica para toda la humanidad, y del anticipo de la era en que «la casa de Jehová será establecida por cabecera de montes», y las naciones aprenderán sus caminos y Su ley saldrá por toda la tierra (Mi 4.1-4). En este sentido se comprende la frecuencia con que el texto del Salmo 24.1 aparecía entre sus testimonios: «De Jehová es la tierra y su plenitud, el mundo y los que en él habitan.» Esta comunidad de humildes discípulos de Cristo tenía la convicción de ser portadora de la historia.[107]

Esta convicción se reflejaba en la práctica y estilo de vida de los anabautistas. Driver nos recuerda que,

> después de la síntesis constantiniana de iglesia y sociedad civil, los anabautistas estuvieron entre los primeros en extender la Gran Comisión a todos los miembros de la iglesia. Esto convierte a los anabautistas en una comunidad

---

[105] Juan Driver, *Contra corriente: ensayos sobre eclesiología radical*, Ediciones SEMILLA, Ciudad de Guatemala, 1998, p. 89.
[106] *Ibíd.*
[107] *Ibíd.*

misionera y peregrina, en testigos y mártires que anticiparon la restauración de todas las cosas.[108]

Driver sostiene que tanto católicos como protestantes se asombraban del compromiso misionero de los creyentes, laicos comunes y corrientes, entre los anabautistas. Lo que estaba en juego era un concepto diferente de la autoridad, ya que

> en la cristiandad se pensaba que las autoridades, tanto ecle-
> siásticas como seculares, eran las que realmente ejercían po-
> der y tenían autoridad para tomar decisiones y ejecutarlas.
> Pero entre los anabautistas surge otra visión, radicalmente
> diferente, de autoridad auténtica. No se limita a los podero-
> sos y a los sabios.[109]

Estrechamente relacionada con esta convicción está otra nota que Driver destaca:

> La convicción radical era que el Espíritu Santo reúne, gobier-
> na y envía al pueblo de Dios a su misión. De modo que su
> concepto de misión era fundamentalmente carismático. Los
> anabautistas notaron que las estructuras que caracterizaron
> a la iglesia primitiva durante sus años de obediencia a la
> Gran Comisión del Señor eran definitivamente carismáticas.
> Dependían de los dones de la gracia, otorgados en su medio
> por el Espíritu viviente para ministerios dentro y fuera de la
> comunidad.[110]

Driver amplía y fundamenta este concepto al ocuparse del tema de «los ministerios en un pueblo de sacerdotes», donde afirma:

> En la visión bíblica la iglesia es una comunidad carismática,
> es decir, Dios la ha creado y la sostiene por los dones de su
> gracia. En esta comunidad los ministerios que contribuyen a

---

[108] *Ibíd.*, p. 90.
[109] *Ibíd.*, p. 91.
[110] *Ibíd.*, p. 93.

edificar y sostener la vida de la iglesia son también carismáticos, son los dones espirituales que Cristo ha conferido.[111]

El tema aparece también desarrollado en la lectura de la visión bíblica del pueblo de Dios, especialmente en el capítulo sobre «la comunidad pentecostal del Espíritu».[112]

Eclesiología y misión en América Latina

Estos dos aspectos de la eclesiología anabautista que Driver desarrolla con claridad meridiana coinciden con aspectos de la vida de las iglesias evangélicas latinoamericanas, y también con los esfuerzos más tempranos por formular una teología de la misión que se dieron dentro del campo evangélico. Me refiero aquí a las iglesias evangélicas de origen variado y diferente que han crecido en el continente en la segunda mitad del siglo 20, y especialmente entre las clases populares, una de cuyas marcas es la intensidad de su activismo evangelizador.[113] Los observadores de fuera, tanto sociólogos laicos como misionólogos católicos, admiran la capacidad de estas iglesias para movilizar a todos sus miembros en la tarea evangelizadora. Franz Damen, sacerdote especializado en ecumenismo y que ha estudiado a fondo el crecimiento protestante en Bolivia, hace referencia al tema:

> Con su proselitismo sistemático y entusiasta, las sectas pentecostales y milenaristas se presentan como comunidades de fe profundamente misioneras, donde la tarea de evangelización no está encargada a un personal especializado. Porque es la *misión* de cada miembro de la comunidad.[114]

---

[111] *Ibíd.*, p. 52.

[112] Juan Driver, *Pueblo a imagen de Dios ... : hacia una visión bíblica*, CLARA-SEMILLA, Bogotá, 1991, pp. 137-149.

[113] He dedicado a este tema mi libro *Tiempo de misión*, particularmente el capítulo 7.

[114] Franz Damen, «Las sectas: ¿avalancha o desafío?», *Cuarto intermedio*, revista trimestral publicada por la Compañía de Jesús, Cochabamba, n. 3 (mayo de 1987): 60-61.

A Damen le llama la atención que los grupos pentecostales, que son los que muestran el mayor crecimiento, son también los que cuentan con el menor número de misioneros oficiales o profesionales en relación con su tamaño.

La experiencia latinoamericana de movilización de todos los creyentes para la tarea evangelizadora y su relación con el ministerio del Espíritu Santo fue una parte importante de la misionología pentecostal clásica que desarrolló el misionero Melvin Hodges, de las Asambleas de Dios, basándose en su experiencia en Centroamérica. Hodges relacionó su experiencia con las ideas del británico Roland Allen, quien había explorado el tema de la «expansión espontánea de la iglesia», contrastando la experiencia de la iglesia del Nuevo Testamento con la lentitud burocrática y tradicionalista de la práctica misionera anglicana en China. Aunque los libros de Allen, se publicaron en la segunda década del siglo 20, sólo llegaron a difundirse hacia 1960. En sus libros *La expansión espontánea de la iglesia*[115] y *Missionary Methods: St. Paul's or Ours?*,[116] Allen criticaba tanto la existencia de estructuras inadecuadas como la falta de fe en el poder movilizador del Espíritu Santo. Ambos puntos fueron objeto de la reflexión de Hodges. El historiador Russell Spittler dice que «de hecho, Hodges pentecostalizó los principios de Allen y los reformuló de acuerdo a su tradición.»[117] Hodges decía que

> La fe que tiene el pueblo pentecostal en la capacidad del Espíritu Santo para dar dones espirituales y habilidades sobrenaturales a la gente común y corriente ... ha hecho surgir una hueste de predicadores laicos y líderes de una capacidad

---

[115] Roland Allen, *La expansión espontánea de la* iglesia, Editorial La Aurora, Buenos Aires, 1970, publicado originalmente en inglés en 1912.

[116] Roland Allen, *Missionary Methods: St. Paul's or Ours?*, 3ra. ed., World Dominion Press, Londres, 1953.

[117] Russell P. Spittler, «Implicit Values in Pentecostal Missions», en *Missiology* 16/4 (octubre de 1988): 416.

espiritual extraordinaria —en mucho semejantes a los rudos pescadores que siguieron primero al Señor.[118]

Los mismos puntos fueron centrales en una propuesta misionológica muy influyente en las décadas de 1960 y 1970, que fue la de *Evangelismo a Fondo*, desarrollada por el argentino Kenneth Strachan, director de la Misión Latinoamericana. Ponía énfasis en la movilización de toda la iglesia para la tarea evangelizadora, y de todas las iglesias para conseguir un impacto masivo en un país y sacar a los evangélicos de su introversión minoritaria. Las dos columnas fundamentales de este movimiento y del pensamiento de Strachan fueron precisamente la necesidad de movilizar a toda la iglesia y la apertura a la acción y el poder del Espíritu Santo para conseguirlo. Decía Strachan: «No podemos convencer de pecado, no podemos iluminar las tinieblas, no podemos convertir, no podemos regenerar, no podemos edificar. Sólo el Espíritu de Dios se encarga de estas operaciones tanto en el primer siglo como en el siglo veinte.»[119] Haciéndose eco del pensamiento de Strachan, Orlando Costas señalaba que la movilización de toda la iglesia era una necesidad teológica y práctica, pero que implicaba «una revolución en la estrategia misionera actual. Porque si en algo ha fracasado la iglesia moderna es en su profesionalismo eclesiástico, en la distinción antibíblica que ha hecho entre el ministro profesional y el laico.»[120]

Hodges y Strachan fueron precursores de la reflexión misionológica que iba a desarrollarse entre los evangélicos de América Latina durante las décadas que siguieron a la formación de la Fraternidad Teológica Latinoamericana (FTL) en 1970.[121] En

---

[118] Melvin Hodges, citado por Gary McGee en el artículo «Missions» del *Dictionary of Pentecostal and Charismatic Movements*, Zondervan, Grand Rapids, 1988, p. 621.

[119] Kenneth Strachan, *Desafío a la evangelización*, Logos, Buenos Aires, 1970, p.28

[120] Orlando Costas, *La iglesia y su misión evangelizadora*, La Aurora, Buenos Aires, 1971, pp. 105-106.

[121] Ofrezco un bosquejo de este proceso en el primer capítulo de mi libro *De la misión a la teología*, Ediciones Kairós, Buenos Aires, 1998.

otro trabajo he señalado el impacto de la teología anabautista en este proceso de reflexión, por medio de pensadores como John Howard Yoder y Juan Driver.[122]

Notas anabautistas para una práctica misionera evangélica

El quehacer de los misioneros evangélicos latinoamericanos de mañana podría encontrar rumbos y propuestas en la eclesiología anabautista de Driver, que ofrece pistas para la práctica misionera, fundamentadas en la reflexión teológica. Consideraré brevemente el papel de la comunidad cristiana en el discernimiento de la vocación misionera de las personas, el papel del ejercicio de un sacerdocio de todos los creyentes en las relaciones entre misioneros, y el estilo de vida para la misión que brota del ejemplo de Jesús y la comunidad del Nuevo Testamento. Creo que estas notas pueden ser un correctivo de tendencias heredadas de los modelos de misión «desde arriba», ahora que los actores de la misión han de aprender a ser misioneros «desde abajo».

La misión brota de la comunidad misionera

La primera nota es que la misión brota de la comunidad, la fuente de la vocación misionera se nutre de la vivencia de los valores del Reino de Dios que caracteriza a la comunidad cristiana, la iglesia. Esto vale tanto para la presencia misionera en el mundo como para la evangelización. Todo un capítulo del libro *Contra corriente* elabora este punto. Dice Driver:

> Existe una relación estrecha entre la realidad de la vida del pueblo de Dios, restaurada de acuerdo con la intención salvífica divina, y el mensaje que proclaman los evangelistas. Profundamente arraigada en la visión

---

[122] He ofrecido una breve crónica de ese encuentro en mi contribución al libro editado por John D. Roth, *Engaging Anabaptism*, Herald Press, Scottdale, 2001. Véase el capítulo 6, «Latin America and Anabaptist Theology», pp. 75-88.

que el pueblo de Dios en la Biblia tiene de sí mismo, se halla la convicción de ser señal de bendición y salvación divinas.[123]

De esta convicción en cuanto a ser la iglesia ha de brotar una práctica, un quehacer que refleja el ser, no como una experiencia únicamente individual sino también comunitaria. Así sigue Driver:

> El señorío de Jesucristo sólo puede ser proclamado con credibilidad cuando surge del contexto de la comunidad que con autenticidad vive sometida a ese señorío. Así la iglesia es percibida como «las primicias» del Reino que apuntan hacia la intención divina de restaurar a la humanidad en una nueva creación. Hay un sentido vital simplemente en el hecho de que ser la nueva comunidad de la era del Espíritu es participar en la misión salvífica de Dios.[124]

Estas afirmaciones van precedidas de una referencia a la historia de la práctica misionera de los anabautistas del siglo 16 y nos recuerda que, «además de ofrecer una atracción evangelizadora, estas comunidades enviaban misioneros por toda Europa con su mensaje.»[125] Muchos de esos misioneros iban dispuestos a enfrentar el sufrimiento y el martirio como resultado de su labor pero podían confiar en que la comunidad cuidaría de sus familiares, porque ese cuidado mutuo era parte importante de la vivencia de los valores del Reino de Dios. En los siglos siguientes, la vida peregrina con sus movimientos migratorios, creó todo un estilo de vida en el cual el cuidado mutuo se vivía de la manera más natural. Algo de esta actitud de velar por el otro y no limitarse a la propia supervivencia ha quedado como una marca de las iglesias que provienen de la Reforma Radical.

Esta práctica contrasta con el fuerte individualismo que caracteriza al movimiento misionero moderno, especialmente al de las llamadas «misiones de fe» o misiones independientes y que

---

[123] Driver, *op. cit.*, 1998, p. 92.
[124] *Ibíd.*, pp. 92-93.
[125] *Ibíd.*, p. 92.

ahora parece caracterizar al movimiento misionero que sale desde América Latina. Durante el tercer Congreso Latinoamericano de Evangelización (CLADE III), el estudioso Federico Bertuzzi ofreció una evaluación entusiasta, aunque no desprovista de crítica. Señaló, por ejemplo, como una de sus características, el papel que juegan personas visionarias: «Gran parte de nuestro esfuerzo misionero latino partió así, de individuos visionarios que, desafiando la apatía y el desinterés de sus hermanos en la fe, se lanzan al campo solos, provocando que recién con posterioridad se formalice una estructura de envío.»[126]

Esta descripción pone en evidencia el individualismo extremo que marca el modelo misionero. El *visionario* no parte de una comunidad que comparte su visión. El discernimiento de la vocación en sí mismo es individualista y no parece tomar en cuenta el consejo de la comunidad. El envío tampoco parte de la comunidad. El enviado no parece contar con el cuidado pastoral de una comunidad y al final ha de enfrentar solo su fracaso, o bien ha de encontrar una comunidad que provea los medios materiales. Evidentemente, el modelo necesita una corrección profunda.

La competitividad propia de las sociedades capitalistas va de la mano con el individualismo y ambas actitudes han tenido fuerte influencia en la manera de concebir el llamado misionero, el envío de misioneros, la naturaleza de las organizaciones misioneras y su sostenimiento, y la gestión de la obra misionera en sí misma. La corrección vendrá por la recuperación de una visión misionera que parte de una iglesia que participa en el discernimiento del llamado y el envío de los misioneros. La práctica de Jesús de enviar a sus discípulos de dos en dos y los equipos misioneros apostólicos en el libro de Hechos muestran que *en el campo misionero mismo, la misión brota de la experiencia de comunidad*. Los misioneros son discípulos que viven bajo el señorío de Cristo de manera que su propia manera de

---

[126] Federico Bertuzzi, «El esfuerzo misionero en y desde América Latina», en *CLADE III*, Quito, 1992, p. 358.

vivir es un testimonio que ilustra el evangelio de gracia, perdón, salvación y reconciliación que proclaman.

La misión surge de una iglesia disciplinada

En la eclesiología de Driver, lo mismo que en la práctica anabautista, la disciplina congregacional ocupa un lugar importante,[127] aunque él empieza recordándonos que este aspecto de la vida cristiana no es muy practicado ni goza de popularidad entre los cristianos actuales. Aquí se puede observar un contraste con la iglesia primitiva:

> La comunidad mesiánica reflejada en las páginas del Nuevo Testamento tomaba muy en serio la disciplina comunitaria restauradora. Durante el período post-apostólico, especialmente en tiempos de persecución, la iglesia siguió manteniendo su identidad a través de una disciplina bien intencionada, aunque no siempre acertada."[128]

Driver presta atención al ejercicio de la disciplina evangélica en el sentido del perdón de las ofensas, al «atar y desatar» (Mt 18.15-20) y al proceso congregacional de discernir la voluntad de Dios y tomar decisiones en la presencia del Espíritu del Señor a fin de crecer en fidelidad y obediencia. Recordándonos la estrecha relación entre disciplina y discipulado en la práctica de los apóstoles, nos recuerda que

> «Discipular» es invitar a hombres y mujeres a someterse al señorío de Jesucristo y a sus hermanos y hermanas en una comunidad de discípulos. La vida en esta comunidad se describe fundamentalmente como un discipulado. En este contexto, «disciplinar» se refiere al proceso de ayudarnos mutuamente a seguir sometiéndonos para vivir bajo el señorío de Jesucristo.[129]

---

[127] Driver, *op. cit.*, 1998, cap. 5.

[128] *Ibíd.*, p. 56.

[129] *Ibíd.*, p. 62.

Mi propia experiencia misionera y mi observación de misioneros en los países y situaciones más diversos me llevan a la conclusión de que la tendencia al fraccionamiento y la separación parece ser una característica innata a las misiones evangélicas. En mi estudio de la historia misionera en más de un país latinoamericano, he descubierto que el divisionismo en iglesias y denominaciones refleja muchas veces actitudes tales como rivalidad, falta de perdón o espíritu competitivo, que caracterizaron a los misioneros fundadores de estas obras.[130] Es aquí donde el individualismo y la competitividad de la cultura de la que provenían los misioneros resultaron más fuertes e influyentes que la profesión de fe evangélica que los había traído al campo misionero. Y aquí no estoy pensando únicamente en la obra misionera proveniente de países anglosajones, porque hemos de admitir que el personalismo excesivo y el individualismo son notas propias también del espíritu iberoamericano. Cuantos participamos en la misión tenemos que recordar que ésta ha de partir de una comunidad de discípulos, es decir, disciplinada.

Con el desarrollo de las ciencias de la administración en el mundo de las empresas industriales y comerciales, hoy se habla mucho de «resolución de conflictos». Es posible que ciertos conceptos y recursos provenientes de esta «disciplina», en el sentido académico, puedan ser de ayuda para los misioneros de hoy. Sin embargo, creo que es fundamental la recuperación de los principios bíblicos. La empresa misionera proveniente del mundo rico puede darse el lujo de multiplicar esfuerzos y agencias, malgastando así los recursos humanos y materiales de que dispone. En cambio la misión «desde abajo» tiene que construir una infraestructura espiritual de relaciones y principios bíblicos que le permitan utilizar mejor sus escasos recursos. Más aún, tiene que recordar que una comunidad misionera donde se prac-

---

[130] Esto aparece con claridad, por ejemplo, en el estudio de Juan B. Kessler sobre la obra misionera en el Perú y Chile, *A Study of the Older Protestant Missions and Churches in Peru and Chile*, Oosterban & LeCointre, Goes, 1967.

tica la disciplina evangélica en la construcción de la comunidad, el perdón y la reconciliación como estilo de vida, refleja mejor el mensaje del evangelio de un Dios que nos reconcilia consigo mismo y nos llama a la reconciliación.

La misión lleva la marca de la cruz

Driver señala también la unión entre misión y sufrimiento, entre testimonio y martirio, que caracterizó la práctica anabautista y que encontró expresión teológica al buscar sus raíces en la persona de Jesús. Nos recuerda que «no es una mera coincidencia que este movimiento que produjo unos 5.000 mártires en los primeros diez años de su existencia fuera explosivo en su impacto evangelístico».[131] La disposición de los discípulos de Cristo a sufrir por causa de su Señor es una característica de la iglesia neotestamentaria. Driver nos recuerda sus raíces en la visión bíblica del Mesías como Siervo sufriente de las profecías de Isaías que moldean tanto el relato como la interpretación del hecho de Cristo que los Evangelios presentan. Los anabautistas

> vieron en el sufrimiento de Cristo no sólo un sacrificio vicario sino también el modelo para el sufrimiento de sus discípulos. De modo que evangelizar, en un sentido profundo, era participar en los sufrimientos de Cristo. El sufrimiento vicario, más que la violencia, se veía como la forma de colaborar con Dios en sus planes salvíficos para el mundo. En esto, el ejemplo de Jesús, de Esteban, y de los demás mártires, les marcaba la estrategia de Dios para vencer el mal.[132]

La conciencia de que en el siglo 20 hubo un avance notable del evangelio, pero que hubo también, y sigue habiendo, persecución a los cristianos por una variedad de motivos, en diferentes contextos, se trató de expresar en el *Pacto de Lausana*. La marca de la cruz como medida de la autenticidad del testimonio se relacionó con el estilo de vida de la iglesia. Así, por ejemplo, dice el párrafo 6:

---

[131] Driver, *op. cit.*, 1998, p. 98.
[132] *Ibíd.*, p. 95.

Una iglesia que predica la cruz debe ella misma estar marcada por la cruz. Se convierte en una piedra de tropiezo para la evangelización cuando traiciona al evangelio o carece de una fe viva en Dios, un genuino amor a los hombres, o una esmerada honradez en todas las cosas, incluyendo la promoción y las finanzas.

Driver nos recuerda que la experiencia anabautista significó un rechazo de la fuerza y el poder como medios de imposición del evangelio:

Los anabautistas afirmaban que la auténtica evangelización surgía de la comunidad creada, disciplinada y sostenida por el Espíritu del Señor, tal como se observa en el Nuevo Testamento. Esta dependencia exclusiva en el poder del Espíritu de Dios para su vida y misión los condujo a rechazar los recursos y la autorización que les podía ofrecer el establecimiento civil. También rechazaron la aprobación social mayoritaria que les podía ofrecer la cristiandad basada en el bautismo de infantes.[133]

Me he referido en otro trabajo a la relación entre imperio y misión a lo largo de la experiencia cristiana de veinte siglos, y a la necesidad de que hoy los cristianos se deshagan de una mentalidad imperial,[134] de la cual todavía quedan señales, como por ejemplo en algunas de las estrategias misioneras, especialmente estadounidenses, que utilizan un lenguaje de cruzada, guerra y conquista para describir a la misión cristiana. Los misioneros que hacen misión «desde abajo» pueden beneficiarse de estas lecciones del pasado para que la marca que lleve su misión sea la del Siervo sufriente y no la del conquistador.

Los futuros misioneros latinoamericanos deben tomar conciencia de que esta revisión de actitudes y un adecuado conocimiento de la realidad histórica hacen falta en especial al pensar en la evangelización en el mundo musulmán. En la cristiandad predominó una actitud combativa y militante frente al Islam

---

[133] *Ibíd.*, pp. 93-94.
[134] Escobar, *op. cit.*, cap. 9.

expresada en las Cruzadas, la reconquista española que culminó en 1492 y la época de expansión imperial europea en el Medio Oriente. Lamentablemente, muchos cristianos de hoy todavía operan con las mismas categorías mentales de los cruzados. Los misioneros evangélicos con experiencia en tierras musulmanas que he conocido han insistido en que la clave para la misión en el mundo musulmán es la espiritualidad de la cruz, la disposición a sufrir y un respetuoso conocimiento en profundidad de la fe musulmana.

La misión requiere un espíritu cooperativo

Para la misión que sale desde el contexto de la pobreza, la realidad económica es uno de los desafíos más serios. No se puede negar que ello se debe en parte a que durante los siglos 19 y 20 los países que enviaron más misioneros fueron los que dominaban la economía mundial. De allí que se identifique a la misión con el poder económico y se piense siempre en la misión como una empresa «cara». En el trabajo de evaluación antes mencionado, Bertuzzi señala un alto índice de deserciones de misioneros latinoamericanos debido al fracaso de los sistemas de sostén económico, y afirma: «El gran temor continúa siendo el factor económico. La salida y el sostenimiento en el extranjero pueden resultar de tres a diez veces más costosos que el sostener al mismo obrero en nuestra tierra.»[135]

Cuando nos enfrentamos con estas realidades surge siempre la pregunta: ¿Cómo realizó su misión la iglesia primitiva? ¿Qué modelos de sustento económico utilizó? Estaba, por ejemplo, el modelo migratorio, en el cual los misioneros realizaban su labor de manera paralela a su trabajo diario y su vida ordinaria. Por otra parte, en el caso del apóstol Pablo se puede señalar en su propia práctica una enseñanza clara sobre las obligaciones de la

---

[135] Bertuzzi, *op. cit.*, p. 362.

mayordomía cristiana y su propia flexibilidad en diferentes situaciones.[136]

La nota anabautista que quiero destacar en esta sección final la desarrolla Driver al tocar el tema de las relaciones económicas en el pueblo de Dios. Es un esfuerzo por recuperar la viabilidad del modelo neotestamentario. Nos recuerda en primer lugar la práctica de la Reforma Radical:

> El movimiento anabautista del siglo 16 adoptó dos formas clásicas: las comunidades de bienes sistemáticamente estructuradas de los huteritas, y las comunidades suizo-alemanas, cuya radicalidad económica fue más informal pero no menos real. Pero en estos dos grupos se nota el mismo espíritu motivador, los mismos resultados comunitarios concretos de ayuda mutua, y la misma actitud desprendida en relación a los bienes materiales.[137]

Como las otras prácticas de los anabautistas, ésta provenía de una relectura del material bíblico que prestaba especial atención a la práctica de Jesús y la iglesia primitiva. Driver nos recuerda que según el testimonio del libro de los Hechos, en la iglesia de Jerusalén, en el contexto palestino, se dio una actitud nueva frente a los bienes materiales que se reflejaba en el esfuerzo solidario por responder a las necesidades de los hermanos más pobres. Por otro lado, la enseñanza de Pablo en 2 Corintios 8 y 9 muestra una práctica diferente en el contexto grecorromano y sin embargo hay elementos comunes:

> Una lectura cuidadosa del texto bíblico revela el mismo espíritu motivador, la misma liberación del materialismo idolátrico, la misma preocupación por la igualdad entre los miembros de la familia de la fe, y los mismos resultados de ayuda mutua que surgen de una comunión auténtica.[138]

---

[136] Samuel Escobar, «Pablo y la misión a los gentiles», en C. René Padilla, ed., *Bases bíblicas de la misión: perspectivas latinoamericanas*, Nueva Creación, Buenos Aires, 1998, pp. 339-350.

[137] Driver, *op. cit.*, 1998, p. 140.

[138] *Ibíd.*, p. 141.

Estos elementos reaparecen cuando la precariedad de medios de una misión «desde abajo» obliga a desarrollar formas solidarias de cooperación para la misión. En las órdenes misioneras clásicas de la tradición católica, uno de los tres votos que se hacía era el voto de pobreza, el cual hasta hoy permite a muchos misioneros católicos convivir con los pobres y trabajar codo a codo con ellos. La tradición evangélica más reciente, por ejemplo en el Ejército de Salvación, ha cultivado la aceptación de una forma de vida disciplinada y sencilla para poder realizar una obra misionera entre los pobres. Conozco dos tipos de organización misionera actual que también han servido como escuela para capacitar a personas en la libertad que da el aceptar una medida de pobreza, como parte de la aceptación del llamado de Jesús a la misión. Pienso en el Comité Central Menonita y en Operación Movilización, de orígenes y metas muy diversos entre sí, pero con una vida comunitaria disciplinada y una disposición a compartir los recursos materiales.

En el presente trabajo me he limitado a cuatro notas de la eclesiología anabautista expuesta por Driver que me parecen de especial validez para los futuros misioneros latinoamericanos. Lo que es importante recordar es que estas notas forman parte de una propuesta consistente e integral. Tanto los desafíos de la obra misionera global como las nuevas tendencias dentro del pueblo evangélico latinoamericano nos llevan a pensar en la urgencia de la consideración atenta de la eclesiología que Juan Driver ha venido exponiendo de manera paciente y consistente en su obra en el mundo de habla hispana. Una obra por la que hay que agradecer al Padre.

14

¿HACIA DÓNDE VAMOS?

Milka Rindzinski

He sido discípula y colega de Juan Driver desde los tiempos en que él y Bonny vinieron a Uruguay por primera vez. Su influencia contribuyó muy ciertamente a moldear mi pensamiento. Confieso que al principio hallé sus interpretaciones bíblico-teológicas más radicales de lo que en el momento podía asimilar y cuestioné algunas que me parecieron demasiado extremas y hasta imposibles de practicar. Pero seguí elaborando sobre las mismas porque la inquietud había sido sembrada.

Muchos habrán pasado por experiencias similares, ya que, como comparte Driver, en las iglesias de todas partes adonde su ministerio lo llevó, puso a prueba su pensamiento con hermanos y hermanas de la comunidad de fe. Hay elementos que todavía no he tenido oportunidad de vivenciar, tal vez por no haber llegado el momento de mi peregrinaje en el que pudiera verme ante el reto de ponerlos en práctica como parte de mi fe cristiana, que quiere ser radicalmente anabautista. Espero que esa ocasión no me haya pasado inadvertida. Nunca fue ni será simple vivir como discípulos de Jesucristo.

Considero un honor y ha constituido para mí un verdadero placer participar en la recolección y edición de los ensayos elaborados para celebrar la vida y el ministerio de Juan Driver. Y estoy segura de que los autores de los mismos sienten verdadera satisfacción por haber aceptado la invitación a participar en este homenaje.

Entonces, ¿hacia dónde vamos? Me parece que el desafío para esta generación y las venideras es el mismo al cual nuestro hermano Juan Driver ha dedicado su vida: buscar y encontrar formas de presentar fielmente el mensaje radical de Jesús, el

Mesías y también Maestro, que vino hace dos mil años para trastocar esquemas religiosos y morales, y para invitar a sus discípulos a seguir sus pasos.

Que el Espíritu de Cristo sea el que ilumine al pueblo de Dios y a sus palabras y actos proféticos.

LIBROS DE JUAN DRIVER EN CASTELLANO

Cómo los cristianos hicieron la paz con la guerra
1993 Ediciones SEMILLA, Ciudad de Guatemala

Comunidad y compromiso: estudios sobre la renovación de la iglesia (1ª ed.) / Renovación de la iglesia: comunidad y compromiso (2ª ed.)
1974 Ediciones Certeza, Buenos Aires
1995 Ediciones Certeza ABUA, Buenos Aires y CLARA, Bogotá

Contra corriente: ensayos sobre eclesiología radical
1988 Ediciones SEMILLA, Ciudad de Guatemala (1ª ed.)
1994 Ediciones SEMILLA, Ciudad de Guatemala (2ª ed.)
1998 Ediciones SEMILLA, Ciudad de Guatemala (3ª ed., aumentada)

El Espíritu Santo en la comunidad mesiánica
1992 Ediciones CLARA-SEMILLA, Ciudad de Guatemala

El evangelio: mensaje de paz
1984 Ediciones Mostaza, Zaragoza (1ª ed.)
1987 Ediciones SEMILLA, Ciudad de Guatemala (2ª ed.)
1997 Ediciones SEMILLA, Ciudad de Guatemala (3ª ed.)

La fe en la periferia de la historia: una historia del pueblo cristiano desde la perspectiva de los movimientos de restauración y reforma radical
1997 Ediciones SEMILLA, Ciudad de Guatemala

Una historia de la iglesia desde la perspectiva de la Iglesia de creyentes
1978 Centro de Formación Bíblica, Madrid

Imágenes de una iglesia en misión: hacia una eclesiología transformadora
1998 Ediciones SEMILLA, Ciudad de Guatemala

Militantes para un mundo nuevo (1ª ed.) / Siguiendo a Jesús (2ª ed.)
1978 Ediciones Evangélicas Europeas, Barcelona
1998 Ediciones SEMILLA, Ciudad de Guatemala

La obra redentora de Cristo y la misión de la iglesia
1994 Nueva Creación, Buenos Aires y Eerdmans, Grand Rapids

El pacifismo cristiano
1970 Methopress, Buenos Aires

Pueblo a imagen de Dios ... : hacia una visión bíblica
1991 Ediciones CLARA-SEMILLA, Bogotá

Una teología bíblica de la paz
2003 Ediciones SEMILLA, Ciudad de Guatemala

Este libro se terminó de imprimir
en noviembre de 2006 por
Roberto Grancharoff e hijos
Tapalqué 5868, Buenos Aires, Argentina
Tel. (54 11) 4683-1405
Tirada: 1.500 ejemplares